Fantasía y Evangelio

Ram-Mar

(Padre Ramón Martí, Escolapio)

GBH Books

Editors: Manuel Alemán and Francisco Fernández
Designer: Ricardo Potes Correa
Cover photo: © Aleksandra Przenioslo

Published in the United States by CBH Books.
CBH Books is a division of Cambridge BrickHouse, Inc.

Cambridge BrickHouse, Inc.
60 Island Street
Lawrence, MA 01840
U.S.A.

First Edition
Printed in Canada
10 9 8 7 6 5 4 3 2 1

Library of Congress Cataloging-in-Publication Data

Ram-Mar (Ramón Martí), 1928-
 Fantasía y evangelio / Ram-Mar (Ramón Martí). -- 1st ed.
  p. cm.
 ISBN 978-1-59835-282-5 (alk. paper)
 1. Bible. N.T. Gospels--History of Biblical events--Fiction. I. Title.

PQ6663.A998F36 2010
863'.64--dc22

2010012043

*A toda mi querida familia del alma
de la adoración nocturna
y demás feligreses
que comparten conmigo
la eucaristía*

ÍNDICE

Preludio

La fantasía —nos dice el diccionario— es una facultad del alma con la que la persona inventa o reproduce, por medio de imágenes, las cosas pasadas o lejanas, o bien con la que representa las cosas ideales en forma sensible o idealiza las reales.

¡Qué maravillas ha hecho la fantasía humana! ¡Qué cantidad de obras maestras ha dejado a la posteridad! La fantasía aplicada a la creatividad artística ha asombrado, y sigue y seguirá asombrando al mundo. Aplicada a la maldad, habrá horrorizado al mismísimo infierno.

La sagrada Biblia —el Libro de los libros— tiene páginas innegablemente fantásticas. Sobre todo el *Antiguo Testamento*. Sin fantasear no hubiera podido ser escrito un *Génesis*. Y sin imaginación, otros libros no pueden ser bien entendidos.

Los Evangelios, sin embargo, y todo el *Nuevo Testamento*, tienen un lenguaje, podríamos decir, más testimonial. Quien los escribe no fantasea. Se limita casi a relatarnos hechos y dichos de Jesús. A veces, incluso, con un lenguaje y una forma tan precisos y escuetos que asombran y obligan al lector a que, con su imaginación, ponga el resto.

Así, por ejemplo, cuando Lucas nos dice en el Capítulo segundo de su *Evangelio* que, al nacer Jesús, su madre "lo envolvió en pañales y lo reclinó en un pesebre", es como si obligara al lector a olvidarse de la lectura y a dejar volar su imaginación, con la cual, por otra parte, aquella se convierte en una especie de deliciosa oración muy bien llamada contemplativa.

En este trance a mí me llama la atención precisamente la paja del pesebre. Y dejándome llevar por esa facultad del alma que es la fantasía, medito gustoso lo que la paja de Dios mismo me permite imaginar. De esa han nacido otras fantasías sobre otros pasajes de los *Evangelios*. Y aseguro que es mucho más lo que queda por decir e imaginar que lo escrito y fantaseado. Verdaderamente los *Evangelios* son una fuente inagotable para la meditación y la fantasía, para la oración contemplativa. Según se mire, puede parecer atrevimiento desmedido. Y si lo fuere, espero que el Cielo me perdone. Pero nadie es engañado. Todo lo que se añade a la anécdota evangélica es pura fantasía. Uno deja volar la imaginación y respetuosamente anima a los personajes, encuadra la acción, le pone policromía al momento y sugiere nada más que una posibilidad.

Si todo ello recrea el espíritu del lector y ayuda a la contemplación, yo me podré sentir muy satisfecho.

RAM-MAR
P. Ramón Martí, escolapio

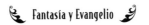

Capítulo I
La paja del pesebre

Mientras estaban allí se cumplió el tiempo del parto
y dio a luz a su hijo primogénito;
lo envolvió en pañales y lo reclinó en un pesebre...

—*Lucas 2, 6*

¿Habéis visto algo tan poca cosa como la paja? Humilde a más no poder desde su nacimiento. Tiene una filiación oscura porque su madre es la tierra honda y su padre es desconocido. Se asoma a la vida como si no se atreviera, como sin derecho, casi con miedo. El aire intenta acariciarla y ella se asusta a cada soplo y tiembla sin poderlo remediar.

Pasan junto a ella los insectos y, aunque sus tropiezos le dan risa, no puede reírse porque ella ni siquiera puede andar. Oye el canto de los grillos y cigarras a su alrededor y, aunque quisiera gritarles: "¡Sosos!", no puede porque nació muda.

A pesar de todo, ella crece y se estira. Y con cielo y sol, va tornándose rubia, de oro. Y con cielo y luna, va soñando blancuras de Eucaristía.

Ya mayorcita, juguetea con sus hermanas al vaivén de bar-carola del oleaje vegetal. No quiere saber nada con sus vecinas, las engreídas amapolas. No le va el rojo chillón de aquel modo de vestir y aquel descarado y continuo coqueteo con todos los aires y abejorros.

Vive en paz y contenta, en el valle o en el monte, o donde Dios la haya puesto. Y aguanta, si conviene, la sed. Y soporta, si se presentan, las lluvias pesadas, plomizas, tremendas. Y sin pro-testas se dobla obediente a besar el suelo sucio cuando lo manda enfurecido y devastador el torrente desbordado.

Si alguna vez algún pájaro quiere hacerle el amor, ella siente como un desgarro a cada beso. Y cuando sus muchos hijos le pe-san y la encorvan de cansancio, ella, confiada, sigue pensando en el cielo toda llena de esperanzas.

Pero luego viene su martirio. Antes era un verdugo quien la mataba a latigazos de hierro, segándola con su hoz. Hoy es un criminal que se sirve de máquinas con tableteo de ametrallado-ra. Muere. Y no la entierran, no. La aplastan. La trituran. La ha-cen polvo. Y ella, humilde que humilde y paciente que paciente, se bebe, callada y conforme, los sorbos amargos de su vida de penas.

Destrozada, la tiran. La mezclan con el estiércol. La pisotean los animales. O es el pan despreciado de los mulos. O se la lle-va el viento y va errante y perdida hasta que muere en cualquier camino, confundida con el polvo.

De todas formas, ¡triste suerte la de la paja, pobrecita!

Ah, pero, ¿quién iba a decirlo? ¡Ni ella misma ni nadie po-día imaginárselo! Aquella noche… No, no fue un sueño. Fue algo maravilloso.

Estaba dormida en su rincón de siempre cuando sintió que una araña le recorría aprisa toda su corta longitud produciéndole cosquillas. Oyó voces. La luz de una rústica antorcha mezclada con humo le permitió ver dos figuras humanas. La mujer, evidentemente encinta, se tendió suave y modestamente sobre la paja. ¡Qué hermosa era! Al hombre se le acababa la antorcha. Se le acababa. Y no sabía qué hacer. Quedaron a oscuras. Allá arriba guiñaba sonriente una estrellita picarona. Se respiraba misterio. De pronto... un dulce suspiro y un resplandor fantástico. Y la paja siente el contacto cálido de un recién nacido: Jesús, hecho niño, estaba sobre ella.

¿Os lo imagináis? ¡Sobre la paja! De todas las innumerables cosas del mundo fue escogida ella, precisamente ella, para tocar, sentir y recibir al hijo de María, al Hijo de Dios.

No sabía qué le pasaba. Sintió que de puro gozo perdía su noción de ser. ¡Era feliz! Aquel rincón del establo le pareció el cielo. Sí... Cantaban ángeles a cielo abierto. No era un sueño, no.

Luego vinieron gentes y más gentes. Y en la madrugada, un hombre que se deshacía en excusas se llevó a su casa al Niño y a sus padres. La paja quedó olvidaba en su rincón.

Al cabo de unos días los pastores volvieron al establo y quedaron sorprendidos.

—¿Cómo? ¡Ya ni paja hay!

Es que los ángeles se la habían llevado toda para guardarla —¡transformada en oro!— en el museo infinito del cielo.

Yo soy la paja de ese
oscuro y más que pobre,
misérrimo pesebre
donde Dios, hecho niño,
una noche aparece.

Yo soy la paja inútil
que ni espiga ya tiene,
ni a raíces se agarra,

ni sola se sostiene,
ni aguanta vendavales,
ni el sol al cielo yergue.

Yo soy la paja rota,
triturada de ayeres,
pisada por los mulos,
ensuciada por bueyes,
hecha polvo y estiércol
y manjar en pesebre.

Yo soy la paja muerta
por calurosas fiebres,
enterrada en establos,
pálida de vejeces,
escondrijo de arañas,
insensible e inerte.

Y siendo así de pobre,
de inútil y de endeble,
tan miserable y rota,
tan pronta a que me quemen,
con ser tan poca cosa
cual paja de pesebre,
repite en mí el milagro,
la Navidad perenne:
el Verbo se hace carne
y Dios, ¡Dios! a mí viene.

Capítulo II

Las dudas de José y también las mías

*(Homilía publicada en el periódico La Opinión el cuarto
domingo de Adviento, 19 de diciembre de 2004)*

*José, descendiente de David,
no temas llevar a tu casa a María,
tu esposa, porque la criatura que espera
es obra del Espíritu Santo.*

—*Mateo 1, 18-24*

Para empezar nuestra reflexión, señalaremos algo importante: Isaías fue el primero de los cuatro profetas que llamamos Mayores. Los otros tres fueron Jeremías, Ezequiel y Daniel. En el año 740 antes de Cristo le anunció al Rey de Judá de entonces, llamado Ajaz:

*He aquí que la virgen concebirá y dará a luz un hijo, y
le pondrán el nombre de Emmanuel, que quiere decir Dios
con nosotros.*

Pasados los 740 años, una muchacha, hija de don Joaquín y

de doña Ana, llamada Miriam, y un joven llamado José, hijo de Jacob, se saben de memoria la profecía de Isaías. Se han sentido mutuamente atraídos, por no decir enamorados; se han casado ante el rabino de turno y están a punto de empezar una nueva vida en común. Nos guardamos de disparatar imaginando que él es mucho mayor que ella, y además viudo y con otros hijos. A veces es muy bueno fantasear, pero en este caso no dejemos hervir la fantasía. Ah, pero... —efectivamente, aquí entra en juego un "pero" de los más grandes habidos y por haber—. ¿Se lo dijo ella o él adivinó, cuando a los dos o tres meses ella regresó de atender a su prima Isabel que en su menopausia ha dado a luz a Juan —"*porque para Dios nada es imposible*" (*Lucas* 1, 3)— y a Miriam ya se le nota su preñez?

El caso es que Miriam está embarazada y José "*que era un hombre justo, no queriendo ponerla en evidencia, pensó en dejarla en secreto*" (*Mateo* 1, 19).

Casi a dos mil años de todo aquello alguien se ha atrevido a decir que la hija de Joaquín y Ana había sido violada por un soldado romano. Posiblemente tan mal pensamiento revoloteó también como pájaro negro por la cabeza de José.

Yo creo que, de todas maneras, aquella noche José daría muchas vueltas en la cama para poder dormirse. Y precisamente, ya dormido, Dios le habla y le aclara el misterio. En realidad Dios le manda un ángel que ilumina su sueño. Cuando despierta, recuerda perfectamente bien cada palabra que se le dijo:

"*José, hijo de David, no tengas miedo de recibir en tu casa a María, tu esposa, porque ella ha concebido por obra del Espíritu Santo. Dará a luz un hijo y tú...*" —¡vete a saber si el ángel le apuntó con su índice!— "*...tú...*" —a lo mejor sí le repitió enfáticamente el pronombre— "*...le pondrás el nombre de Jesús, porque él salvará a su pueblo de sus pecados*". (*Mateo* 1, 19).

Al día siguiente José fue otro hombre. No podía entender todo el misterio pero se sentía inmerso en él, como la gotita de agua que se funde en el océano. Se sentía más que honrado de ser parte del misterio. Se sentía feliz de tener que hacer de padre de un hijo —¡ese sí, de veras!— enviado del cielo. Y ante la grandeza del misterio se le hicieron, casi podría decirse, insignificantes las más entrañables apetencias de todo hombre.

Excelsa figura la de ese "hombre justo" al que le toca protagonizar también el comienzo de la redención de la humanidad.

Oficial y verdaderamente, José es el esposo de María y padre de Jesús. Quedaría constancia de ello en el censo cuando le toque ir a Belén para empadronarse.

—¿Nombre...?

—José, hijo de Jacob.

—¿Casado?

—Sí, señor, con Miriam, hija de Joaquín y Ana.

—¿Hijos?

—Solo uno y recién nacido: Jesús.

A la distancia del tiempo y todas sus circunstancias, es una constante realidad que para cada uno de nosotros también hay cosas y acontecimientos en la vida que no nos dejan dormir en paz.

Es una constante realidad que Dios tiene para cada uno un proyecto de vida que a veces no acabamos de entender.

Es una constante realidad que hay cantidad de momentos en que tenemos miedo de decidirnos por algo que no acabamos de ver claro.

Es una constante realidad que muchas veces el miedo nos gana, nos acobarda, nos impide realizar lo que nos parece demasiado riesgoso.

Posiblemente, alguna vez, ni que viniera un ángel a decirnos: "¿Sabes qué? ¡No tengas miedo! Todo lo que te toca afrontar es un proyecto de Dios...", nos costaría creerlo, y más aceptarlo, y mucho más actuar en consecuencia.

Hoy consideramos muy en serio esto: ni la santísima y escogida entre todas las mujeres, ni el varón justo que era el destinado a ser su esposo, ni tantos y tantos que nos han precedido en el camino de la fe, dejaron de tener sus dudas antes de tomar la decisión de responder: "Hágase en mí según tu Palabra".

Así que, pensándolo bien, vale más que tomemos ejemplo de María y de José y les pidamos de corazón que en los momentos más difíciles de nuestra vida sepamos, como ellos, "no tener miedo" aunque el misterio nos envuelva hasta el más allá.

Y una última recomendación: esta semana repite pausada y muy conscientemente la oración de Francisco de Asís:

Que donde haya odio, ponga yo amor.
Donde haya ofensa, ponga yo perdón.
Donde haya duda, ponga yo la fe.
Donde haya tristeza, ponga yo alegría.
Donde haya desaliento, ponga yo esperanza.
Donde haya oscuridad, ponga yo la luz.
Oh, divino Maestro,
que no busque tanto ser consolado como consolar;
ser amado como amar;
ser comprendido como comprender.
Porque es dando como recibimos;
perdonando como Tú nos perdonas
y muriendo en Ti es como nacemos a la vida eterna.

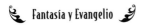

Capítulo III

Por los cielos de Belén

Nacido, pues, Jesús en Belén de Judá, en los días del rey He-
rodes, llegaron del oriente a Jerusalén unos magos diciendo:
—¿Dónde está el rey de los judíos que acaba de nacer? Porque
hemos visto su estrella al oriente y venimos a adorarlo.

—Mateo 2

En todo el mundo cristiano no hay representación del nacimiento de Jesús sin la estrella en el cielo o sobre el portal. Incluso el
símbolo de la Navidad más norteamericano, que es el pino o el abeto,
muchas veces está rematado con una estrella. Y en todos los adornos,
incluso los más comerciales y callejeros, abunda la estrella.

Todo ello porque San Mateo escribió en el Capítulo segundo
de su *Evangelio* las palabras que encabezan esta página: "*Porque*
hemos visto su estrella al oriente...". Dice que dijeron ellos "hemos visto". Nada, pues, de sueños. Nada de alucinaciones. Nada
de dimes y diretes. Fue algo que les entró por los ojos y les llegó
hasta el alma y les impactó las mentes.

"Su estrella". Hoy nos podemos preguntar si no sería un platillo
volador... ¿O sería tal vez un cometa? ¿O sería quizás otra cosa?

Según los astrónomos, ciertas estrellas, en determinados momentos de sus vidas, adquieren una intensidad lumínica tal que llegan a multiplicar cien mil veces su propia luz. Este accidente, en el curso de la evolución del astro, dura tan solo unos meses. Y tiene unas características tan espectaculares que parece el nacimiento de una estrella. De ahí que se les llame novas.

Ya Hiparco de Rodas, en el siglo II antes de Cristo, habla de una estrella nueva detectada alrededor del año 134, de tal brillo que se veía en pleno día. En 1572 unos navegantes españoles observaron una nova que, durante todo un mes, brilló tanto como Venus, hasta que se extinguió. Si la estrella de Belén hubiera sido una nova, se explicaría por qué los Magos la veían también de día. Pero no hay datos para afirmar que así haya sido.

Los nacimientos de varios personajes famosos de la Antigüedad como Mitrídates, Rey del Ponto, y el del emperador Augusto, fueron precedidos, se dice, por la aparición de un cometa en el cielo. Entre los mil quinientos cometas conocidos, el más espectacular es el Halley, con una extensión lineal de unos treinta millones de kilómetros. En 1682, el astrónomo inglés Edmond Halley lo estudió atentamente y le dio su nombre. Se le vio en 1785, en 1910 y en 1986. Según cálculos de astrónomos, el Halley apareció a fines de agosto del año 12 antes de Cristo. Entonces hay que descartar esto también —aunque lo vieran en China y en Japón— por la diferencia de los años. Y además porque, según la creencia popular, no era anuncio de nada bueno. Y según San Lucas, a los pastores aquella noche se les anunció "una buena, una gran alegría".

El astrónomo alemán Juan Kepler, en diciembre de 1603, contempló atónito como se reunían en los cielos en especial conjunción Júpiter y Saturno. Y pensó que la estrella de los Magos pudo haber sido lo mismo. Esa conjunción planetaria se repite cada 805 años. Y se había verificado el año 7 antes de Cristo, exactamente el 29 de mayo. Por lo general es invisible a simple visita, pero en aquel entonces fue visible en el cielo de Palestina. Y se repitió dos veces más aquel mismo año: en octubre y en diciembre.

Por otro lado, se sabe hoy que el rey Herodes murió en el año 4 antes de Jesucristo. Por esta razón, Jesús no pudo nacer en el año uno de la contabilidad cristiana, sino cuatro años antes de la cuenta actual de los años.

En el versículo siete del mismo Capítulo segundo, San Mateo escribe: *"... entonces Herodes, llamando en secreto a los Magos, los interrogó cuidadosamente sobre el tiempo de la aparición de la estrella"*. Los personajes dan la impresión de ser de gran importancia. Se presentan a rendir pleitesía al nuevo rey de los judíos. Dicen seguir "la estrella". No es de extrañar que Herodes preguntara "cuidadosamente"... Tal vez se asoma a mirar al cielo. Ciertamente está más que intrigado y preocupado. Echa sus cálculos en silencio y no sabe de qué se trata.

Para cualquier medio entendido en geografía era y es sabido que desde oriente hacia Jerusalén está el desierto de Arabia que ahora, y menos entonces, nadie se atrevía a cruzar como quien va de paseo. No era ni es nada fácil encontrar una explicación satisfactoria al fenómeno celestial. A Herodes no le queda más remedio que preguntar a los doctores, a los sabios, a los entendidos en la materia. Y ellos encuentran el sentido de todo en las profecías, en las creencias religiosas, en la fe del pueblo.

Para mayor desconcierto de todo el mundo, San Mateo añade: *"Después de haber oído al Rey, se fueron y la estrella que habían visto en oriente los precedía, hasta que vino a pararse encima del lugar donde estaba el niño"*.

Y entonces resulta que, además de misteriosa, la mentada estrellita es caprichuda también. Los guía a Belén, que está a unos ocho kilómetros al sur de Jerusalén. ¿Y quién se explica que un astro ande zigzagueando por los cielos? Por otro lado, si ella ya sabía el lugar exacto, ¿por qué se dirige primero a Jerusalén? ¿A qué viene o a qué va la pirueta, por no decir la vacilada?

Es por todo ello que cabe la posibilidad también de que, más que un fenómeno celeste, fuera un símbolo que se inventa Mateo para significar precisamente la universalidad de la redención cristiana. Para decir que la luz de la fe lleva a todo el mundo al Salvador y a la salvación.

Es exactamente la gozosa nueva del ángel a los pastores, según el *Evangelio* de Lucas, quien nos precisa en su Capítulo segundo, versículo ocho: *"Había en la región unos pastores que pernoctaban al raso y de noche se turnaban velando su rebaño. Se les presentó un ángel del Señor y la gloria de Dios los envolvía con su luz, quedando ellos sobrecogidos de gran temor"*.

La oscuridad de la noche se rasgaba de pronto por una sorprendente, nunca vista, misteriosa luz. En medio del extraño resplandor, una figura que habla de "una buena nueva", de "una gran noticia", de "salvación" y de "alegría". Y suenan voces nunca oídas cantando: "Gloria a Dios en el cielo y en la Tierra paz a los hombres que ama el Señor".

Y uno puede también entonces —quizás muy atinadamente— pensar que si era posible un exclusivo *show* celeste para los pastores, según Lucas, igualmente resulta posible un fenómeno celeste nunca visto para los Magos, según Mateo.

Indudablemente el lenguaje de los *Evangelios* no es metafórico. Es testimonial. Y si Dios lo inspiró, guardó muy bien que los autores escribieran mentiras. San Lucas mismo nos da una fuente de su información cuando termina su Capítulo segundo, contándonos la pérdida y hallazgo de Jesús a los diez años de edad en el templo de la capital. Nos dice: *"Bajó con ellos y vino a Nazaret y les estaba sujeto y su madre conservaba todo esto en su corazón"*. Ninguna madre, y menos la Santísima, puede olvidar y menos también mentir al contar una y otra vez los detalles del nacimiento del hijo. Con mayor razón tratándose de tal Hijo.

Nos queda, pues, la conclusión de que efectivamente en la vida hay que seguir "la estrella". Hay que seguir el ideal. Hay que seguir el proyecto de vida, la ilusión, el ir siempre más allá, la constante superación. Y si encontramos a Jesús, encontraremos la felicidad.

Por los cielos de Belén
corre y corre una estrellita
porque quiere ver nacer
al hijito de María.

¡Ay qué oscura está la noche!
Tan oscura como fría.
Ella quiere iluminarla,
quiere hacerla un poco tibia.

Ella sabe que aquel niño
es Dios mismo que se humilla.
Se lo dijo un angelito
que a cantar gloria corría.

Por los cielos de Belén
corre y corre una estrellita.
Va contenta, ilusionada,
como a fiesta va una niña,
con hermosa cabellera,
con su manto y su mantilla.

Un lucero que la ve
un piropo me le silba.
Y la luna, al darse cuenta,
palidece más de envidia.
Pero nada la detiene
porque lleva mucha prisa.

Por los cielos de Belén
corre y corre la estrellita,
pues de reyes y pastores
ha de ser ella la guía.

Y camino de la cueva
ya José va con María;
que en el pueblo no hay posada
ni nadie que los reciba.

Y se cumplen las promesas
y remotas profecías,
que Dios hizo a nuestros padres
de mandarles el Mesías.

Por los cielos de Belén
corre y corre la estrellita.
En la cueva se ha parado
y se queda sorprendida:
¡Todo es luz y resplandor!

Ya no es ella que ilumina
porque aquel recién nacido
es un sol que luce y brilla,
—¡luz de luz y Dios de Dios!—
hijo hermoso de María,
que acabó con la tiniebla
y la noche la hizo día.

Capítulo IV

Belén ayer y hoy

Ellos (los Magos de Oriente) después de oír al Rey se marcharon;
y la estrella que habían visto en oriente iba adelante de ellos
hasta que fue a posarse sobre el lugar donde estaba el niño.
Al ver la estrella experimentaron una grandísima alegría.

—Mateo 2, 9

Belén, en su etimología, significa "casa del pan". Es la pequeña ciudad israelí situada a unos siete kilómetros al sur de la capital, Jerusalén, con menos de cien mil habitantes dedicados al pastoreo, a la agricultura, a las artesanías y al turismo.

En la más remota antigüedad era parte del territorio de Judá y allí tuvo lugar el famoso idilio entre Booz y la moabita Rut, según leemos en Rut, Capítulo 2.

Más y mayor fama le vino al nacer en ella David, a quien el profeta Samuel ungió rey, según el primer libro de Samuel, Capítulo 16. Roboán la mandó fortificar para convertirla en plaza fuerte y segura contra todos los enemigos.

Y todo el mundo sabe que Belén adquiere fama mundial porque allí nace Jesús, hijo de María y, para millones de personas, Hijo de Dios.

Desde los tiempos más próximos a los apóstoles, los creyentes en Jesús convierten el lugar en punto de peregrinación. El emperador Adriano —ibérico él— reedificó Jerusalén con el nombre de Elia Capitolina. Y aunque moderó la persecución contra los cristianos, quiso poner fin a la afluencia masiva de creyentes en Jesús a Belén. Introdujo en la ciudad el culto a Adonis —el joven mitológico de portentosa belleza que enamoró locamente a Venus— y, para borrar toda señal de cristianismo, convirtió el lugar en un pequeño bosque sagrado. Las excavaciones realizadas por los padres franciscanos han demostrado que, en el tercer siglo de nuestra era, se daba allí el culto a Mitra, a quien los romanos asociaban con el "Sol Invictus", el sol triunfador.

En el año 326, Constantino restituye en Belén el culto cristiano. Y el lugar se puebla de monjes y estudiosos. Uno de ellos, el más célebre, se llamaba Jerónimo. Es el año 384 y aquel monje se dedica a traducir la *Biblia* del hebreo al latín. Algo más tarde se le sumará la matrona romana Paula quien, con su hija Eustoquia, erigirá dos monasterios: uno para Jerónimo y sus discípulos, y otro para ellas y las demás vírgenes. Y construirán una gran hospedería para los peregrinos, la mayoría de los cuales llegan muy cansados porque vienen de Europa.

La madre de Constantino, Santa Elena, manda a construir una gran basílica, rematada en forma de polígono, donde se veneraba la cueva del nacimiento de Jesús.

Belén fue saqueada durante una revolución de samaritanos en el año 429 y el templo sobre la cueva fue destruido. Pero el emperador Justiniano quiso borrar la afrenta y mandó erigir otro inmediatamente. Era el año 540. Y dice la leyenda que, al ver el nuevo templo, Justiniano sufrió tal desencanto y decepción que mandó colgar al arquitecto. Es el feo edificio —con algunos retoques— que el peregrino ve hoy.

El año 614 Belén salió milagrosamente ilesa de la invasión

dc los persas. Milagrosamente, porque se dice que fue gracias a que ellos vieron en la fachada del templo sobre la cueva, unos magos con trajes propios de su país.

Nuevamente fue invadida la ciudad en el año 638 por los musulmanes y fue destruida en la guerra de los cruzados. Sin embargo, una vez conquistada, estos la repararon y la convirtieron en fortaleza casi inexpugnable.

Por los años mil trescientos llegaron los padres franciscanos para hacerse cargo del cuidado y mantenimiento del lugar donde había nacido Jesús.

La basílica de la cueva de Belén está situada en el ángulo oriental de la plaza principal de la ciudad. Su aspecto exterior no es nada atractivo y hace pensar en una fortaleza militar o en una cárcel. La puerta principal llama todavía más la atención. Los ojos del sorprendido peregrino ven claramente el marco de un buen portalón, pero cegado y con una entrada mucho más reducida, como puerta para pigmeos o gente enana. Pero la razón es convincente: la soldadesca turca, en su tiempo, había convertido el lugar en establo de caballos. Para que no pudieran entrar los animales, puerta chica, tal como hoy se ve.

El interior de la basílica tiene cinco naves como rectángulos, con cuarenta y ocho columnas en cuatro hileras que, quieras o no, impresionan a quien las ve. A un metro bajo el actual pavimento se puede ver parte de un bello mosaico del tiempo de Constantino.

El templo hoy está en poder de los ortodoxos. Bajo el presbiterio está la gruta del nacimiento de Jesús. Entre dos escaleras de acceso al cubículo rectangular, se encuentra un altar y, debajo de él, una brillante estrella de plata con un gran agujero en el centro y la inscripción: *"Hic de Virgine María Jesus Christus natus est"*: (*Aquí nació Jesucristo de la Virgen María*). En otro lado del rectángulo, según la tradición, se identifica el pesebre.

El recinto no invita demasiado que digamos a sentirse a

gusto, por lo barroco de sus adornos, por sus paredes chamuscadas, por su poca oxigenación, por su tufillo de cirios en abundancia, por sus numerosísimas lámparas, por tanto viejo traperío...

Pero con todo, y a pesar de no ser —por lo menos para mi gusto— demasiado acogedor, el lugar de la cueva de Belén hace sentir la presencia de Dios que se humaniza; provoca una sensación de misterio, de gozo, en un elocuente lenguaje mudo de piedras capaz de arrancar lágrimas de emoción y de hacer doblar las rodillas y acercar los labios a la estrella para dejar un beso en señal de adoración.

Parece mentira y es más que lamentable que Belén sea hoy uno de los lugares más disputados a sangre y fuego entre israelitas y musulmanes; precisamente donde los ángeles cantaron "y en la tierra paz" al nacer el Hijo de Dios.

Cristiana, judía o musulmana, la ciudad de Belén seguirá atrayendo peregrinos a millones y por milenios, porque sigue brillando una estrella sobre la cueva donde nació Jesús.

Capítulo V
Un perrito también

Hoy os ha nacido en la ciudad de David un Salvador que es Cristo Señor. En esto lo reconoceréis: hallaréis a un niño recién nacido envuelto en pañales y acostado en un pesebre

—*Lucas 2, 11*

Nico parecía de juguete. Era pequeñito y simpático. Su pelo precioso, abundante, suave, hacía pensar en la alfombra lanuda donde apoya sus pies un gran señor. Tenía unas orejas grandes, anchas y siempre cansadas. Y unos ojos azules con reflejos de cielo. Y un hociquito chatito como si se hubiera quedado corto para guardar la lengua, que siempre se asomaba buscando qué lamer. El rabo cortito y gracioso.

Corría como un lebrel aunque era pastor. Si hubierais visto como salía disparado, más veloz que el guijarro, cuando Uriel le señalaba con una pedrada algún cordero desobediente.

También era valiente, muy valiente, desproporcionadamente valiente. No tenía miedo ni a los lobos.

Un día —bueno, más exacto será decir una noche— apareció uno rondando la majada. Nico se le acercó decidido, ladrando

29

fuerte como gritándole autoritario: "¡Largo! ¡Fuera! ¡Fuera de aquí!". Pero el lobo, creyéndose superior y con todos los aires de un matón, ni caso le hacía, pues lo veía muy pequeño. Nico insistía: "¡Largo! ¡Fuera!". Bueno, se entiende: "¡Guau, guau!". Y el lobo, nada. Seguía ignorándolo. Entonces va el perrito y, acercándosele más, le pega un buen mordisco en una pata trasera. Y calculando el efecto, se dispone a la lucha retirándose un poco. Y da brincos sin dejar de ladrar. Y… el lobo tuvo que huir. Sí, señor. Porque si no le hubiera ganado Nico, le hubiera convencido Uriel quien en esas ya se había despertado y se acercaba blandiendo su cayado.

Otra vez fue una serpiente. Allá, en la planicie pedregosa del campo del amo Isaac, una culebrota asquerosa se desenroscó de repente como un resorte para erguirse altiva y amenazadora, asustando a todo el rebaño. Pero allí afortunadamente estaba Nico. Y ladrando furioso, como con asco, enseñaba los dientes cuanto podía, brincaba y corría alrededor, atacaba y se defendía. Mordisco rápido en la cola y retroceso prudente. Ladridos. Rondas. Saltos. Vueltas. Otro mordisco en el cuerpo y, a la vez, un zigzag con la cabeza. Prudencia. Salto atrás. Retorcimientos de la serpiente. Más ladridos con dientes. Ahora Nico ha mordido mejor y la sacude de izquierda a derecha con rabia y con insistencia. Cuando la suelta, ya está vencida. Un garrotazo muy oportuno de Uriel acabó con ella.

Es innegable que Nico era valiente de verdad. Y además de valiente era listo, muy listo, asombrosamente inteligente. Estaba siempre pendiente del gesto del amo y comprendía a la primera cualquier insinuación, con palabras o sin ellas. Bastaba que Uriel señalara un punto impreciso en alguna dirección para que saliera corriendo a ver qué o quién pasaba. Hubierais dicho que olía el aroma de la mismísima rosa de los vientos. Yo creo que incluso adivinaba los pensamientos.

Ya podía estar oscura la noche, y bien dormido Uriel y los demás pastores, que el rebaño estaba seguro con Nico como guardián. Se acurrucaba a los pies de su amo con el típico par de vueltas y el hocico en la barriga. Parecía dormir. Pero, ¡qué te crees tú eso! Al menor síntoma y señal de algo raro, ya estaba él mordiendo el silencio con su agudo guau, guau.

Aquel día había corrido mucho tras unas ovejas caprichosas, díscolas y descarriadas. Estaba cansado. Pero apenas se apagaron los últimos balidos en el valle y se encendieron los primeros candiles en el cielo, Nico vio a lo lejos dos personas embozadas que andaban muy despacio. Ladró:

—¡Guauuu, guauuu!

Su ladrido era, digamos, muy raro, muy extraño, muy misterioso, como nunca antes había ladrado. Uriel no pudo menos que preguntarle:

—¿Qué te pasa, Nico?

El perrito movió su rabo como expresando alegría. Pero tras un breve silencio, volvió a ladrar igual:

—¡Guauuu, guauuu…!

—Estate quieto —le ordenó Uriel— y cállate ya.

Sin embargo, Nico todavía se animaba más y movía el rabo más aprisa y ladraba de aquella manera tan especial.

"¡Qué extraño comportamiento!", pensó Uriel. Era la primera vez que Nico lo desobedecía. Se dio vuelta para acomodarse mejor y vio las sombras a lo lejos.

—¡Déjalos! —quiso tranquilizarlo—. Deben ser algunos del empadronamiento que…

No tuvo tiempo de acabar la frase cuando el perro echó a correr sin hacer el menor caso a las voces autoritarias de su amo:

—¡Nico, ven aquí! ¡Ven aquí, te digo!

Se perdió en la oscuridad de la noche el último ladrido misterioso mezclado con el fantasma de la orden incumplida.

Nico alcanzó a las dos personas y, como si las conociera de toda la vida, les dio muestras de gran alegría. Eran un hombre y una mujer. Ella andaba muy fatigada. Él la sostenía y la animaba. Sí, efectivamente, cualquiera lo adivina y lo sabe: eran María y José. Pero lo que no sabe nadie es que a la cueva los guió precisamente Nico. Y no es de extrañar. No. El perrito conocía muy bien todos aquellos parajes por sus continuas rondas con el rebaño. Y todavía hizo algo más.

Sí, aquello era un establo. No muy grande que digamos. Y allí había una mula y un buey muy cómodamente echados. Y, claro, apenas dejaban espacio libre. Pues Nico fue quien resolvió el problema. Con un par de ladridos amenazadores, como sabía dar él, ordenó a los dos animales que se retiraran. Y por supuesto que le obedecieron. ¡Hubiera faltado más...!

Y fue así como Jesús nació sobre unas pajas calentitas. ¡Ah!, pero no acaba aquí la curiosa historia. Cuando la maravilla de las maravillas fue realidad... Pero, ¿cómo qué maravilla? ¡La maravilla del nacimiento del Niño Dios, caramba! Bueno, pues, cuando la maravilla de las maravillas fue realidad, quien estaba amorosa y mansamente tumbado junto al hijo de María era el afortunado perrito, el tuno de Nico, sí señor.

Lo demás ya es sabido. Por el cielo volaban acordes armoniosos en alas de ángeles. ¡*Gloria in excelsis Deo*! Y en la tierra paz. Los pastores despertaron desconcertados. "¿Qué pasa?", se preguntaban, "¿Qué ocurre? ¿Qué es todo eso?".

—No temáis —les dice un ángel—. Os anuncio un gran gozo. Os ha nacido el Mesías. Id a adorarlo. Lo encontraréis en un pesebre.

Y allá se van. Y lo adoran. Y le ofrecen sus dones. Pero falta decir, para acabar, que la sorpresa mayor fue para Uriel.

—¿Cómo? ¿Nico? ¿Tú aquí?

Hubierais dicho que el perro sonreía. Y al marchar los pastores...

—Bueno, hala, vamos... ¡Vamos, Nico!

Pero no, no señor. Nico no se decidió a marchar. Y allí se quedó, muy satisfecho, junto al Niño Jesús.

Por eso yo creo que en la Cueva del Nacimiento, además de la mula y el buey, habrá que poner... ¡un perrito también!

Capítulo VI
El cuarto regalito

*Entraron a la casa y vieron al Niño con María,
su madre, y postrándose lo adoraron;
abrieron sus tesoros y le ofrecieron dones: oro,
incienso y mirra.*

—*Mateo 2, 11*

El Oriente, en relación con Israel y en el año cero, es decir, más de dos mil años atrás, era Persia, el actual Irán. La mayor parte del terreno sigue siendo arena y desierto. Así que, para ir hacia el oeste, el mejor medio eran los camellos. En plural, para cargar además del pasajero todo el equipaje necesario, comenzando por los odres del agua imprescindible y acabando con las pieles y palos para armar una conveniente y adecuada tienda de campaña donde cobijarse en las noches.

No todo el mundo tendría la capacidad económica para afrontar un viaje que sería de varios días. Los "señores" que se decidieron a emprenderlo tenían que ser gente acomodada. Si fueron "reyes" o si fueron "magos" o si fueron "astrónomos" o si fueron "sabios" o si fueron tres o si fueron más, no importa tanto como el hecho de que pudieron disponer de todo lo necesario para su largo viaje hacia el oeste desconocido.

Nos consta que llevaban sus dones para rendir homenaje al Rey recién nacido. Y sin duda alguna, al hacer todos los preparativos, cargaron su oro, su incienso y su mirra. Los sirvientes y demás integrantes de sus familias hicieron todos los preparativos, comenzando por enjaezar a los camellos. No hacía falta que los que llevaran toda la carga se lucieran mucho; pero al que llevaría al "gran señor" había que ponerle lo mejor. Y la primera gualdrapa que le pusieron al animal sobre el pelo era toda una preciosidad, por lo tupida, por su colorido, por sus flecos. Precisamente por su hermosura la llamaban "el jirel". Encima iba el comodísimo asiento de cuero repujado y adornado con incrustaciones de plata. El cabezal con sus riendas era también polícromo y admirable.

Los flecos del jirel, la rica y hermosa gualdrapa de lujo, se adornaban con toda una retahíla de cascabelitos de oro puro que sonaban a risa de niños contentos. Al mínimo movimiento del animal, producían su alegre tilín entre destellos del sol que jugaba con ellos a la reflexión. Solo se callaban llegada la noche. Todos dormían y a ellos les entraba algo de miedo también por tanta oscuridad.

Los señores don Melchor, don Gaspar y don Baltasar tenían que cruzar los dos importantes ríos que se encontraban a su paso: el Tigris y el Éufrates. Sabían muy bien que en sus orillas, y en tiempos más remotos, hubo reyes tan importantes y famosos como para dejar a la humanidad un primer código de leyes grabado en una gran roca negra de basalto, que los franceses guardan muy orgullosos en su famoso museo del Louvre en París. Pero ellos iban en busca del nuevo rey de los israelitas, cuyo país estaba junto al mar Mediterráneo.

Al llegar a la capital de Israel, la hermosa Jerusalén, quedaron desconcertados. La estrella había desaparecido. ¿Qué hacer? ¿A dónde ir? ¿Quién podría ayudarlos? Se han parado un momento a pensar qué decidían. Se han callado los alegres cascabelitos de oro que también venían contentos. Decidieron muy sabiamente lo mejor: preguntar a quien pudiera saber. Y se dirigieron al palacio de quien gobernaba el país en nombre del emperador de Roma.

Herodes se preocupó cuando le preguntaron dónde había nacido el Rey de los judíos. Hay que ver qué viejo es el temor de los políticos por la competencia, sea dicho de paso...

Puede que Herodes se asomara para mirar hacia el cielo, a ver si alcanzaba a divisar la misteriosa estrella. Pero ni la vio ni supo qué pensar; menos supo la respuesta a la pregunta de los señores. La astucia le sugirió lo mejor: preguntar a los que puedan saber más que él. Consultados doctores y maestros, la respuesta sacada de las *Sagradas Escrituras* fue Belén.

Los camellos estaban tumbados sobre las losas de mármol del patio del palacio. Los cascabelitos de los flecos del jirel seguían mudos de temor y ansiedad. Herodes no les merecía ni pizca de confianza. Había fijado en ellos una mirada y casi los hizo temblar. Sonaban muy falsas sus palabras: "Id y averiguad. Y volved a decirme dónde está el Rey que buscáis, para ir yo también a rendirle pleitesía".

Al tomar el camino de Belén, aquellos señorones se alegraron en gran medida porque volvieron a ver la estrella. Los cascabelitos sonaron también de nuevo como niños contentos. Alegraron el corto camino hacia al sur con su risa y los destellos del sol. La estrella los llevaba con extraña precisión a la casa donde se encontraban José y María con el niño en brazos.

Se agacharon los camellos para que se apearan sus jinetes. Se callaron los cascabelitos de la lujosa gualdrapa. Se respiraba un aire de misterio. Se hincaron Melchor, Gaspar y Baltasar, muy reverentes y ceremoniosos, ante aquella joven madre tan hermosa y su hijo, más precioso y deslumbrante que el sol. Presentaron como signo de pleitesía y veneración sus dones: el brillante oro, el aromático incienso y la apreciada mirra.

Los camellos esperaron pacientes, tumbados en el suelo en grato descanso. Seguían mudos los cascabelitos del jirel. Pero de todos ellos había uno más atrevido y caprichoso que los demás. Había visto, desde su lugar, callado y quietecito, toda la escena de los tres señores hincados ante aquel recién nacido. De pronto sintió como un loco delirio de ser él también ofrenda para el rey. ¿Pero quién iba a saber lo que quería un pequeño cascabel de una lujosa gualdrapa?

Los señores parecían más que embelesados contemplando al hijo de María. Platicaban también muy animadamente con José. Pero decidieron que habrían de regresar a su tierra "por otro camino".

Cuando los camellos se enderezaron, volvieron a sonar con su risa de niños los cascabelitos del jirel. Pero aquel, más atrevido y caprichoso, decidió que entonces era el momento oportuno. Sin que nadie se fijara en él, calladito, calladito, se descolgó del jirel. Allí se quedó en el suelo, quietecito y silencioso.

La comitiva ya se había alejado para adentrarse en el vasto desierto hacia el este. Las palmeras del primer oasis donde descansaban le preguntan al aire dónde estaba el cascabelito que faltaba en aquel espacio vacío, en el fleco de la gualdrapa. Nadie sabía dar cumplida razón. Se suponía, es más probable, que se había caído en el camino y perdido entre las arenas del desierto.

Pero no. Nada más irse los señores, ilustres visitantes, José se fijó en él:

—Mira, María, un cascabelito de oro…

—Se debe haber caído de alguno de los camellos de don Melchor, don Gaspar o don Baltasar…

—Casi seguro que sí.

—A ver, a ver… Déjame tocarlo…

Y de la mano de José pasó a la de María. Y la madre lo hizo sonar ante la carita rosada del Hijo. Y el Niño unió su sonrisita silenciosa al sonoro tilín del cascabelito feliz.

Sin que nadie lo supiera, fue el cuarto regalito de los Reyes Magos a Jesús…

Cascabel, cascabelito,
en el fleco del jirel
se columpia como un niño,
como un niño cascabel.

Caminito de la cueva
junto al sueño de Raquel,
para ver un clavel niño
porque el Niño es un clavel.

Cascabel, cascabelito,
ríe, ríe el cascabel.
Se columpia como un niño
en el fleco del jirel.
Las palmeras del camino
—estrellas verdes en el
cielo zarco todo luces—
envidian al cascabel.

Ante Herodes enmudece
y se esconde su rabel,
porque Herodes frunce el ceño
y ha mirado al cascabel.
¡Ay, aquel mirar de Herodes!

¡Ay, aquel mirar de hiel!
¡Ay, qué amargas sus palabras!
¡Ay, qué amarga aquella miel!

Herodes está turbado
y Jerusalén con él.
Y callado, calladito,
¡huy, qué miedo el cascabel!

Allí está el Rey que ha nacido.
Allí está el Niño Manuel.
Todavía van pastores
con zamarras de rusel
a ofrecerle sus hogazas,
corderitos y candiel.

Se arrodillan los tres Magos.
Desborda el oro un fardel.
Y callado, calladito,
de los flecos del jirel,
cascabel, cascabelito,
se descuelga el cascabel.
No se fija nadie, nadie.
Y allí quieto se queda él.

Ya se marchan los camellos
columpiando en el jirel
el silencio de los flecos.
Pero las palmeras del camino
al aire que calla
le dicen: —¿Y el cascabel?

Nadie sabe. Y allá lejos,
de la cueva en el dintel,
mientras la Virgen y el Niño
—¡una rosa y un clavel!—
entre besos juegan, juegan...
¡ríe, ríe el cascabel!

Capítulo VII

Un esposo sin igual

Estando desposada María con José,
antes de que conviviesen se halló haber concebido.
José, su esposo, que era un hombre justo,
no quiso denunciarla y decidió repudiarla en secreto.
—*Mateo 1, 18*

Jesús, al empezar, tenía unos treinta años
y era, según se creía, hijo de José...
—*Lucas 3, 23*

Todo comenzó cuando José, soñando despierto, le dijo un día a su hermano:

—Oye, Cleofás, cada día me gusta más la hija de Joaquín y Ana.

—Miriam, ¿eh?

—La misma. No me digas que no es encantadora...

—De veras que sí. Tienes toda la razón. Es muy hermosa.

—Hermosa es poco. Yo le veo todas las gracias. Tanto así que quiero hacerla mi esposa.

—Pues habla con sus padres, ¿no?

Y habló. Y Joaquín y Ana se mostraron muy contentos de que un joven como José, de la familia de Helí, pretendiera a su hija.

Y Miriam se sintió también muy halagada de que el apuesto y maduro José la quisiera por esposa.

Pero he aquí que... de pronto, se presenta un serio problema para los planes ilusionados de José. No, no es problema de vivienda o de trabajo o de salud. No. Es más grave: Miriam espera un hijo, está encinta, alguien la preñó.

"¿Cómo es posible?", se pregunta a solas José, "¡No lo puedo creer!".

Y se atormenta con todas las posibles cavilaciones. Y no encuentra respuesta satisfactoria.

"¿Qué puede haber ocurrido?", se dice cada vez más preocupado. "Conozco a Miriam desde hace mucho tiempo y nunca la he visto con ningún hombre. No puedo imaginar que un desalmado la haya violado. Entonces, ¿qué hago? Para no comprometerla más, la voy a dejar en secreto".

Y del cielo le viene la respuesta a todas sus dudas mientras soñaba dormido.

No temas, José... ", oyó clarísimamente en el más profundo sueño, "*... no temas recibir a Miriam por esposa. Porque lo que de ella va a nacer es obra del Espíritu Santo. Y dará a luz un hijo al que pondrás por nombre Jesús. Él salvará a su pueblo de sus pecados.* (*Mateo* 1, 20).

Cuando despertó aquella mañana le pareció que una nueva luz le llenaba los ojos y le llegaba hasta el alma. Estuvo un buen rato sentado en el borde de su cama apoyando los codos sobre sus rodillas y como aguantando la cabeza con todo el peso de sus pensamientos.

"¡Oh, Dios mío!", se decía en silencio. "¡Qué inescrutables son tus designios! ¡Cómo podía yo imaginar…! Miriam se me hace ahora mucho más maravillosa. Concibió por obra del Espíritu Santo y lo que de ella nacerá es nada menos que Dios con nosotros, el Emanuel prometido, el Mesías esperado… Ella ha sido escogida entre todas las mujeres habidas y por haber. ¿Qué te parece? Y yo su esposo… Y todo el mundo va a creer que el hijo es hijo mío… De todas maneras, me importa muy poco lo que vaya a pensar y a decir la gente. Lo grande es que me toca hacer de padre y tengo que cuidar del hijo y de la madre. Así que, José… a trabajar".

Se celebró la boda muy sencillamente. El rabino de turno los declaró oficialmente marido y mujer. Y desde aquel día hubo en Nazaret una familia más. Su casa era muy sencilla. José trabajaba la madera muy diestramente y todo el pueblo sabía que era un excelente carpintero. Miriam cocinaba, barría, lavaba, cosía y lo tenía todo pulcramente ordenado. Los meses pasaban y seguía la gestación.

Justamente en el noveno mes, al señor emperador de Roma, don César Augusto, se le ocurrió preguntarse cuántos súbditos tenía. Y mandó hacer un censo. Y se hizo saber la orden de que todos los cabezas de familia, todos sin excepción, debían ir a empadronarse a sus respectivos lugares de nacimiento. Y ya tienen a José con Miriam encinta camino de Belén. Él con su atillo al hombro y ella sujetándose el velo a lomo de un burrito prestado. Los dos sabían de memoria muchos salmos. Por eso, de a ratos y en silencio, cada uno, y a veces juntos, recitaban los que preferían.

—*Dad gracias al Señor porque Él es bueno…*
—*… porque es eterna su misericordia.*
—*Dad gracias al Señor Dios de los dioses…*
—*… porque es eterna su misericordia* (Salmo 135).

Llegaron a Belén y encontraron el pueblo lleno de forasteros venidos por la misma razón: el empadronamiento.

—Me siento mal, José —le dijo Miriam con las manos sobre su abultado vientre.

—En la otra calle viven unos conocidos. Vamos a ver si nos ayudan.

Pero no. No ayudaron. Nadie ayudó. No había lugar en ninguna posada.

—¡Ay, José! Creo que me llegó la hora.

—En las afueras hay una cueva. Vamos allá.

Y en la cueva José acomodó a Miriam sobre un montón de paja.

El universo entero estaba pendiente, desde toda la eternidad, de aquel instante en el tiempo y de aquel lugar en el cosmos. El hijo de Dios aparecía en el mundo con un lloriqueo, como todos los recién nacidos.

Miriam dio a luz con la única ayuda de José. Él fue el primer mortal que tocó la carne frágil de Jesús al nacer. ¿Se puede tener en este mundo un privilegio mayor? Por un momento se quedó contemplando embelesado aquella miniatura rosada y divina. Luego la depositó sobre la paja del pesebre.

Las estrellas temblaban de emoción allá arriba, en el cielo de la noche oscura. Un ángel despertó sorpresivamente a unos pastores dormidos para darles la gran buena nueva. Un coro celeste inundó con su raro resplandor la oscuridad de la noche para llenar el silencio con su *Gloria in excelsis Deo et in terra pax.*

Miriam envolvió al hijito en pañales. José prendió una hoguera. Llegaron los primeros adoradores y con ellos corrió la gran noticia.

Los días siguientes José encontró posada en el pueblo y cumplió con el censo.

—¿Nombre?

—José, hijo de Elí.

—¿Casado?

—Con Miriam de Nazaret, hija de Joaquín y Ana.

—¿Hijos?

—Un hijo: Jesús, nacido este mes y aquí.

—¿Residencia?

—Nazaret de Galilea.

Cuando ya pensaban regresar a Nazaret, llegaron a Belén tres señores de Persia con una retahíla de camellos ricamente enjaezados. Llamaban la atención, quieran que no. Seguían, dijeron, una rara estrella que los había guiado hasta la casa. Se hincaron ante Miriam con el niño en el regazo y —¡oh, Dios!— obsequiaron mirra, incienso y oro.

—Hemos venido a adorar al Rey que ha nacido —dijeron.

Y José sonrió más que satisfecho mientras pensaba que su aceptada castidad comenzaba a tener sus insospechables compensaciones. Y Miriam lo miraba complacida y guardaba en silencio todas aquellas vivencias en su corazón.

A los ocho días, circuncidaron al niño. Y a los cuarenta, ya en camino hacia Nazaret, lo presentaron al templo. Y he aquí que entonces ocurre algo más que terrible…

Aquellos señorones de Persia habían llegado a Jerusalén y, para saber lo que querían saber, se fueron a preguntar nada menos que al mismísimo gobernador romano, el señor Herodes. Y Herodes —que de señor tenía muy poco, sea dicho de paso—, al oír que preguntaban por el nuevo Rey de los judíos, se preocupó tanto que no podía dormir. Por eso, al ver que los señorones de Persia no regresaban a informarle como les había pedido y temiendo un posible competidor por el poder, enojado y cruel mandó matar a todos los recién nacidos.

Pero otra vez Dios le habló al bueno de José en sueños.

—Levántate, toma al niño y a su madre y vete a Egipto.

Y allá se fueron. Sirvió de mucho el oro de los señorones persas. Y allá también había trabajo para un buen carpintero.

—Dios sabrá —se decía José confiadamente—. Dios sabrá qué se hace con nosotros. Porque por más extraño y nada fácil que todo esto pueda parecer, estoy seguro de que así se cumplen sus designios. Los egipcios pudieron haber sido malos con nuestros antepasados, pero con nosotros se han portado y se portan muy amablemente. ¡Lo que son las cosas! ¿Quién me iba a decir a mí que iba yo a parar aquí? Pero con solo mirar y ver esos tesoros que Dios ha puesto en mis manos, no me queda más que decir: ¡Oh, Yavé, qué grande y admirable eres! ¡Qué pequeñas se quedan mis apetencias ante tanta grandeza de este Hijo del Altísimo y de la que escogió para su madre! ¡Bendito seas por siempre, Señor!

A los dos años de estar en Egipto, el cielo le da a entender a José que es hora de volver a su tierra. Y, ¡hala!, a desandar el camino de la emigración y a tragarse de nuevo los arenales del desierto del Sinaí.

Cuando llega a Judea se da cuenta de que debe ir hacia el norte para alcanzar Galilea donde puede que haya más tranquilidad. En Nazaret hasta el aire es familiar. El niño ya camina y juguetea con las virutas, el aserrín y los trocitos de madera. Es encantador como una flor. Es más hermoso que las flores de todos los jardines de la Tierra. Pasa un alma por la calle e inevitablemente se siente atraída hacia Él.

Cada año la familia va a Jerusalén para celebrar la Pascua. Aquella vez el niño ya había alcanzado los 10 años. Se suman los tres a la nutrida caravana. El camino es largo y los hombres se juntan para hablar de sus cosas y las mujeres forman su grupo para hablar de las suyas. La chiquillada corretea incansable hacia delante y hacia atrás, se adelanta, se rezaga, se acompasa con los unos, con las otras.

La ciudad tiene muchos atractivos, pero el mayor es el

templo. ¡Qué hermosura de construcción, Dios santo! ¡Qué maravilla de arquitectura, cielos! ¡Qué preciosidad de edificio, madre mía! ¡Por Yavé que el pueblo judío puede estar orgulloso de su capital y de su templo!

En el templo se han pasado la mayor parte del tiempo porque allí mismo se puede comprar todo lo que a uno se le antoje o necesite. Según como se vea, parece más un mercado que una casa de oración. Y véase como se quiera, cada visitante viene a ser como una gota de agua que se diluye en aquel mar de hombres, mujeres, niños, ancianos, mercaderes, pedigüeños...

A la hora de volverse, se forman de nuevo los dos grupos y los niños van y vienen igualmente de uno a otro. María cree que su hijo va con José. José piensa que Jesús está con su madre. Al final de la jornada —no han dejado de caminar ni para comer—, cuando se hace obligado el descanso aunque sea al amparo de unas palmeras, se dan cuenta de que el pequeño no está ni con el uno ni con el otro. Preguntan a todos los de la comitiva y nadie sabe dar razón del pequeño Jesús. ¡Oh, Yavé! ¿Qué le habrá ocurrido?

Puede más el ansia que el cansancio. Sin pensarlo dos veces, José y María se dirigen de nuevo a la ciudad. Ella, como madre, está más angustiada y no para de preguntarse qué le habrá pasado al hijo. José confía plenamente en Yavé y en que el niño ya sabe lo que hace.

Van directamente al templo. Entre el gentío que sigue yendo y viniendo, les llama la atención un gran círculo bajo un arco del pórtico de la derecha. José, de puntillas, logra ver.

—¡Ahí está, María, ahí está! —exclama contento.

Se abren paso como pueden y la madre se queja:

—¡Hijo! ¿Por qué has hecho eso con nosotros? Mira que tu padre y yo estábamos muy preocupados buscándote.

José asentía con la cabeza mirando el rostro hermoso de Jesús y complacido de que su esposa hubiera dicho "tu padre y yo".

—¿Y por qué me buscabais? —contesta, como restándole

importancia a la travesura— ¿No sabíais que es preciso que me ocupe de las cosas de mi Padre?

José no acaba de entender lo de "ocuparse de las cosas de mi Padre". Se vuelve a mirar a María que se ha quedado callada. Y Jesús rompe aquel silencio embarazoso despidiéndose de los doctores, escribas y demás oyentes:

—Lo siento, madre. Vámonos.

Y los tres, solitos, emprendieron de nuevo el camino a Nazaret.

De los diez años pasó Jesús a los quince, y de los quince a los veinte y a los treinta, en la sencillez de la vida de familia. Cada día, cuando llegaban las horas crepusculares y solían prender su lámpara de aceite, eran los momentos de mayor intercomunicación, incluyendo casi siempre la recitación de un salmo.

Las calles de Nazaret eran estrechas. La ciudad tenía un aire pueblerino más que de gran ciudad. Todos sus habitantes se conocían de una manera muy especial. Era usual que la gente hablara de Jesús como del "hijo del carpintero" o que se refiriera a este como "el padre de Jesús".

La imaginación puede recrearse, en efecto y en abundancia, contemplando el cuadro sencillo de aquella familia que, con toda razón, nos merece el calificativo de sagrada. Pero lo único cierto que nos consta es que a los treinta años de Jesús, cuando él y su madre son invitados a la boda de Caná, el esposo y padre José ya había muerto. Y habría exhalado su último suspiro teniendo a su lado a María y a Jesús. El trágico momento habría tenido, más que probablemente, una serenidad tal que el último adiós habría sido un esperanzado "hasta pronto".

Con toda razón lo tenemos como el mejor protector en el momento de nuestra muerte, y unimos su nombre al de Jesús y María implorando su ayuda.

Capítulo VIII
El regalo de boda

Hubo una boda en Caná de Galilea
en la que se hallaba la madre de Jesús.
Jesús con sus discípulos fue invitado también.
Y faltando vino dijo a Jesús su madre:
—No tienen vino. Jesús contestó:
—¿Y a ti y a mí qué, mujer?
Mi hora aún no ha llegado...
—Juan 2, 1

—¿**S**upiste, hijo? —le preguntó su madre.

—No sé a qué te refieres —le contestó Jesús.

—¡De la boda de Sara y Jonatán!

—¡Oh, nuestros parientes de Caná! Sí, sí supe.

—¿Y piensas asistir?

—Habrá que asistir, ¿verdad?

—Yo sí quiero. La mamá de Sara era muy amiga de tu abuelita Ana.

—Yo también conozco a Jonatán desde pequeño.

—A mí me parece que hacen muy buena pareja.

—¡Oh, el amor, madre, el amor!

—Dices bien, hijo. El amor es el secreto de la felicidad aquí en esta vida. Y la esencia de la vida eterna en el cielo donde ha de estar el bueno de mi José.

—Sí, fue bueno tu marido, ¿verdad, madre?

—Bueno es poco, hijo. Más que bueno, ¡buenísimo!

—El Padre nuestro que está en los cielos siempre hace las cosas muy bien.

—¡Claro que sí! A mí no podía darme un hombre mejor. ¡Ay, qué hubiera hecho yo sin José!

—¿Sabes, madre, que ni una sola vez lo vimos, ya no diré enojado sino ni siquiera malhumorado por nada?

—Ay, hijo. Yo nunca lo vi siquiera impaciente por nada. Ni siquiera cuando contigo, recién nacido, tuvimos que huir a Egipto, perdió su serenidad. Y en aquel país no nos fue nada fácil, créeme.

—Yo me doy cuenta de que aprendí muchas cosas de él.

—¡Te quería él tanto! Además era muy habilidoso. Recuerdo que cuando tú ibas a nacer... ¡ay! Pero, hijo, si ya te lo he contado un montón de veces...

—No le hace, madre, no le hace...

—Mejor volvemos a lo que te preguntaba yo. Es que tengo que ir por agua, hijo, y mucha ropa por coser. Pero dime de una vez, ¿vas a ir a la boda de Sara y Jonatán, sí o no?

—Está claro.

—¿Está claro el sí o está claro el no?

—¡Oh, madre! Lo que está claro es que tú quieres ir y quieres que yo vaya también. Entonces está claro... que iré.

—Me alegro por ellos, hijo. Pero habrá que pensar qué les regalamos. No podemos ir con las manos vacías.

—Tiene razón. Como siempre, tienes razón.

—¡Ándale, hijo, no seas halagador! Dime qué regalo podríamos hacerles.

—No sé, madre, francamente no sé. Tal vez...

—¿Tal vez qué?

—Tal vez algo de vino. Tú sabes como duran esas fiestas y cuánto se bebe en ellas...

—Me parece muy buena idea. Sí, señor. ¡Eres un sol, hijo!

—Ay, madre. Ahora no seas halagadora tú.

María sonrió feliz mientras agarraba el ánfora para ir a la fuente y echaba una mirada amorosa a su hijo al salir a la calle inundada de sol.

Sara lucía preciosa con todo su atuendo nupcial. Jonatán estrenaba túnica comprada a un mercader fenicio de Sidón. En el austero recinto de la sinagoga sonaba solemne y despaciosa la voz del rabí:

"Y el Dios de nuestros padres, Abraham, Isaac y Jacob, os colme de sus bendiciones y podáis alcanzar a ver los hijos de vuestros hijos más allá de la cuarta generación y un día, la felicidad eterna en el cielo con Yavé. Amén".

Los asistentes aplaudieron contentos y a la salida bañaron a la pareja con una lluvia de trigo y de flores. María recordaba, entre brumas de misterio, su boda con José. Y el matrimonio, la maternidad y la viudez. Todo le parecía una maravilla más que el Señor había hecho en ella, su esclava. Calladamente bendecía a Dios por haberle dado por marido al "varón justo", al bueno de José.

Jesús, como todos los invitados, esperaba a los novios a la entrada de la casa.

—Jonatán, que Dios te bendiga. Y a ti, Sara, también.

—Ya me bendice ahora con tu presencia. Gracias, Jesús, por haber venido.

—Pues fíjate que vengo acompañado. Este es Juan. Este es Santiago. Este se llama Andrés. Este es su hermano y se llama Simón. Aquí está otro, Felipe...

—Pues Sara y yo nos sentimos muy honrados. Por ahí anda tu madre y también nos da mucho gusto que haya venido ella. Pero pasad, por favor, pasad y vamos acomodándonos. Ya es hora de comer. Y yo tengo mucha sed. Tomad asiento. Es vuestra casa.

Allí, al lado derecho de la entrada, había seis tinajas de agua para todos los servicios. Comenzando por los novios, todos se lavaron las manos.

Flautas, cítaras y tambores comenzaron a desgranar conocidas melodías. La servidumbre iba y venía con exquisitos manjares y sabroso vino rojo. María no se sentó hasta que todos tomaron su lugar. Parecía como si ella fuera la anfitriona y estuviera pendiente de que no quedara nadie sin acomodarse para comer. Eran muchos los invitados y, además, su hijo se había traído una docena de sus amigos con él...

Simón dio entonces una muestra de su espontánea franqueza. Entre sorbo y bocado le dijo a Jesús:

—Maestro, este cordero está de veras exquisito. Ni mi suegra lo guisa mejor.

—¿Y el vino —preguntó Jesús—, qué tal está?

—Pues no está mal —sentenció Simón.

Un agudo solo de flauta caracoleaba por los aires entre los olores de guisos y el hablar de los comensales. Cuando el solo acabó, sonó un largo aplauso general. Ahora era el arpa la que se hacía escuchar. Todas las miradas se clavaron como flechas en el mismo blanco: las ágiles manos del experto tocador. Parecía que acariciaba las cuerdas y que ellas, agradecidas, respondían con su deliciosa vibración. El aplauso fue mayor.

Novios e invitados disfrutaban de la fiesta. La servidumbre seguía ofreciendo pan fresco, llenando platos de carnes y escanciando vino rojo. El maestresala iba y venía de aquí para allá y de allá para acá, atendiendo a todos y platicando con todos.

Sabía su oficio y lo desempeñaba muy bien. Sara, Jonatán y sus respectivas familias podían comer y beber con toda tranquilidad. Pasaban las horas y aunque los más ya no seguían comiendo, casi todos seguían bebiendo. Habían callado los músicos y hubo brindis y felicitaciones. Después seguiría más música y el baile de los novios primero y de todos los que quisieran después. María se dio cuenta de la situación. Vio a los criados regresar sin jarra de la cocina. Vio a unos cuantos formar círculo alrededor del maestresala. Vio a este acercarse al novio y cuchichearle algo al oído. Vio que Jonatán abría los brazos y encogía los hombros como diciendo: "¿Y yo qué puedo hacer?".

Entonces María se levantó, confirmó su sospecha preguntando al criado más próximo y se fue donde estaba Jesús.

—Hijo, no tienen vino —le dijo como en un lamento.

—¿Y a ti y a mí, mujer, qué nos importa?

La madre sintió ganas de contestarle que sí le debía importar, ya que precisamente él se había traído nada menos que seis invitados más y… Pero se calló. Se limitó a mirarlo confiada y amorosamente mientras Jesús añadía:

—Mi hora no ha llegado todavía, madre.

Ella le sonrió dulcemente y se dirigió a los criados:

—Haced todo lo que él —señaló a su hijo— os diga. Id allá.

Los criados se acercaron a Jesús.

—¿Qué pasa? —les preguntó.

—Lo que ocurre —explicó uno por todos— es que hay más gente de la que se calculó y se acabó el vino. Ya no queda ni una gota en toda la casa. Y ni en todo Caná ni en Nazaret, el poblado más cercano, hay quien lo venda.

Jesús se quedó un instante como pensativo.

—¿Qué hacemos, señor? —preguntó el mismo criado.

Jesús se levantó, se dirigió con los criados a la entrada y señalándoles las seis tinajas, les ordenó:

—Llenad esas tinajas de agua.

Los criados se miraron unos a otros y se sonrieron, pensando que bromeaba y ninguno se movió.

Jesús repitió con seriedad:

—Llenad esas tinajas de agua.

—Pero, señor —abrió los brazos un criado— si lo que falta es vino. No agua, ¡vino!

—Llenad —repitió Jesús despacio y apuntado con su dedo— esas tinajas de agua, os digo.

De mala gana los criados fueron a traer agua del pozo, refunfuñando:

—¡Agua! ¡Ja! ¡Vino es lo que necesitamos!

—Este tipo debe estar loco.

—A quién se le ocurre... ¿Para qué el agua?

—Francamente yo no entiendo. Pero lo más raro es que no parece estar bebido. Y tampoco creo que esté loco.

—Pero ya me dirás tú para qué diablos quiere el agua, si lo que falta es vino.

—Bueno, bah, un viaje más y ya.

—Señor, servido. Las tinajas ya están llenas. ¿Y ahora qué?

—Ahora llenad una copa y llevadla al maestresala para que pruebe.

Todos pensaron lo mismo. Todos pensaron que aquel joven de aspecto serio tenía un extraordinario sentido del humor. Todos se quedaron quietos sonriéndose unos a otros.

—¡Vamos! —insistió Jesús— llevadle al maestresala.

Ninguno se movía.

—¿Le vais a llevar o no? —preguntó paseando la mirada por todos ellos.

Uno se decidió. Llenó una copa de cobre brillante y, seguido de los demás, se dirigió al maestresala (hay que tener en cuenta que no se había inventado todavía el cristal transparente; todas las copas y vasos eran de metal o de madera o de barro).

—Dice Jesús, el de Nazaret, el hijo de la señora María la viuda de José, que te traigamos esto. Toma.

Y aquel hombre, que sabía muy bien su oficio, se acercó la copa a los labios y después de un primer sorbo chasqueó la lengua y exclamó:

—¡Por nuestro padre Noé! ¡Qué vino tan sabroso! ¿No dijisteis que se había acabado? ¿De dónde lo sacasteis?

Y sin esperar respuesta, se dirigió a Jonatán, mientras los criados se reían a gusto y se decían unos a otros:

—Ahora aquí los locos ya son dos. ¡Ja, ja, ja! Mira tú que llamarle vino sabroso al agua...

El maestresala, con la copa en la mano y el regusto en los labios, le dijo sorprendido y contento al novio:

—Todo el mundo pone al principio el vino mejor y, cuando todos han bebido bastante, se sirve el vino inferior; pero tú has dejado el mejor vino para el final.

—*Juan* 2, 10

—¿Que yo quéee...? ¿De qué me estás hablando?

—¡De este más que sabroso vino! Pruébalo y me dirás —le pasó la copa.

—¡Guau! Sí que está rico —exclamó Jonatán— ¿de dónde salió? ¿No me dijiste antes que se había acabado?

—Eso fue lo que vinieron a decirme los criados. Pero ahora me han traído esa copa de parte de Jesús.

—¿De parte de Jesús? ¿Lo trajo él?

—Yo no sé.

En aquel momento se acercaban los criados para preguntar:

—Señor, ¿qué hacemos?

—¡Pues servir ese delicioso vino a quien quiera! ¿A qué esperan? —les ordenó el maestresala.

—¿Cuál vino, señor? ¡Pero si es agua de las tinajas de la entrada! —protestó uno de ellos por los demás.

—¿Agua dices? ¡No me hagas reír! ¡Es vino y el mejor de los mejores!

—No nos haga usted reír a nosotros, que acabamos de llenar las tinajas con el agua del pozo. Óigalo bien: ¡con a-guaaa...! Esto no puede ser vino porque es agua de la que acabamos de acarrear nosotros.

Intervino Jonatán:

—Vamos a ver las tinajas.

Los criados tuvieron que convencerse ante la evidencia. Ellos sí habían traído agua, ciertamente. Pero ya no cabía ninguna duda: las tinajas estaban llenas de vino rojo y más que sabroso.

—Oye —se decían unos a otros— yo si no lo veo, no lo creo.

—Esto es un milagro. ¿Cómo te explicas, si no, lo que ha pasado?

—A mí lo que me tiene más intrigado es cómo lo hizo. Y quién será ese hombre...

—Cómo lo hizo, no lo sé. Pero sí sé y puedo asegurarte que él es Jesús, de Nazaret, hijo de María, la viuda.

—¿Te acuerdas de que fue ella la que vino a decirnos que...?

—... Que hiciéramos todo lo que su hijo nos dijera. Sí, señor.

—Pues yo lo que te digo es que ella tiene mucho que ver en todo esto que ha pasado aquí.

—Lo que ha pasado aquí solo tiene un nombre.

—Milagro.

—Efectivamente. Tú lo has dicho.

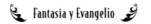

—Oye. Ese hombre debe ser más que un profeta.

Jonatán se había dirigido adonde estaba Jesús con sus amigos. Se le quedó viéndolo en silencio un instante. Después le dijo, poniendo énfasis en la palabra con una inclinación de cabeza:

—¡Gracias, Jesús!

—Es mi regalo de boda —le respondió Jesús apuntado una sonrisa.

Aquellas tinajas contenían, en total, de quinientos a setecientos litros. Era mucho vino para mucha gente. Y para poca gente era mucho vino para mucho tiempo. Jonatán lo apreciaba más que si hubiera sido oro puro. Cada año en su aniversario de boda seguía siendo el mejor regalo que se hacía.

Pasó el tiempo. Jonatán, Sara y todos supieron del trágico fin de Jesús aquella Pascua en Jerusalén, tres años después. Y no solo supieron también, y se alegraron en gran manera, de la gloriosa Resurrección, sino que pronto su casa se convirtió en el lugar de reunión de los creyentes en Jesús, Hijo de Dios. Hablaban de él y recordaban con especial complacencia aquel inolvidable, maravilloso y espectacular milagro de cambiar el agua en vino.

Pasaban los días y un mal aire les trajo la mala noticia de la muerte a pedradas del diácono Esteban. Otro día la noticia fue peor: Herodes Agripa había mandado a degollar al apóstol Santiago Mayor. También la viuda María, la madre de Jesús que Juan se había llevado consigo a Éfeso, se había dormido dulcemente, deseando —decían que decía— encontrarse con su Hijo en el cielo.

Un buen día llamó a la puerta de la casa un forastero.

—Me llamo Bernabé —se presentó—. Soy uno de los setenta y dos privilegiados que los apóstoles de nuestro Señor y Maestro Jesús escogieron para cooperar con ellos en la predicación de la Buena Nueva. Voy camino de Antioquía porque allí crece cada día más el número de creyentes. Simón nos habló muchas veces del primer milagro aquí, el día de vuestra boda. Y me dije: "Voy a conocer el lugar, a saludar a los amigos de Jesús".

Jonatán y Sara se sintieron muy honrados y contentos. Corrieron la voz y aquella noche en su casa había tanta o más gente que el día de su boda. Todos estaban ansiosos por saber más de Jesús.

Bernabé habló y habló con entusiasmo y convicción. Contó un montón de maravillas que desconocían. Les enseñó la hermosa oración del Padre Nuestro. Después del ágape quiso cumplir el encargo de Jesús: "Haced esto en memoria mía", y consagró pan ácimo y vino rojo.

El vino era del celosamente guardado desde el día de la boda. En la primera Eucaristía que se celebró en Caná de Galilea se consagró vino del que fuera el primer milagro de Jesús. Y las paredes asombradas de la casa de Sara y Jonatán vieron, a partir de entonces, como cada día siguiente al sábado, mucha más gente que el día de la boda se reunía para honrar la memoria de Jesús con aquel vino que fuera su maravilloso regalo particular de boda.

Capítulo IX
El desierto y las tentaciones

Jesús, lleno del Espíritu Santo, volvió de las orillas del Jordán
y se dejó guiar por el Espíritu a través del desierto,
donde estuvo cuarenta días y fue tentado por el Diablo.
En todos esos días no comió nada y al fin tuvo hambre.
El Diablo le dijo entonces:
—Si eres Hijo de Dios manda a esta piedra
que se convierta en pan.
Pero Jesús le contestó: —Dice la Escritura:
"No solo de pan vive el hombre".
—Lucas 4, 1-5

Los habitantes del estado de California, en Estados Unidos, tenemos varios ejemplos impresionantes de lo que es un desierto. Por todo el planeta los hay en diferentes partes, algunos más extensos y famosos. Pero California tiene uno muy especial, empezando por el nombre: el Valle de la Muerte.

Salga usted en su coche de Los Ángeles por la autopista 10 en dirección a San Bernardino. Antes de llegar a esta ciudad, tome la autopista 15 hacia el norte con el indicativo Barstow, la que todo el mundo usa para ir a divertirse a Las Vegas en Nevada. Después de casi sesenta millas, se encuentra en Baker y, a la izquierda, por la magnífica carretera 127, entrará al Valle de la Muerte.

Llegará a un punto algo elevado que obliga a parar para dedicarse por unos momentos a la más extraña contemplación de su vida. El paisaje es impresionante. El suelo allí es volcánico, de rojinegra lava. A uno se le ocurre preguntarse si está pisando la Luna. La carretera, a partir de ahí, desciende tanto que se puede ver en los indicativos de la vera como se va hundiendo más abajo que el nivel del mar.

Ya casi en lo más hondo del valle se encuentra el único signo de civilización: Furnace Creek Ranch, con el Centro de Visitantes y el Museo del Bórax. El lugar invita a una pausa en el camino para gozar un poco del aire acondicionado en medio de tanto sol abrasador.

Unas pocas millas más adelante se encuentra el cruce de Daylight Pass que, hacia la derecha y ya en Nevada, se convierte en la carretera 374, ramal de la 95 que lleva a Las Vegas. Si el visitante sigue a la izquierda se encontrará con la gran sorpresa del Scottys Castle: una extraordinaria mansión al estilo español que un rico banquero mandó construir porque se asoció con un aventurero que dijo haber encontrado una mina que resultó ser no de oro sino de agua. Y allí está saliendo de las entrañas de la tierra, a flor de arena, para perderse en la misma unos metros más allá.

La mansión es realmente digna de verse, pero lo que más obliga a pensar es el sorprendente manantial. Si le dieron al valle el apelativo de la Muerte sería porque más de una persona que se aventuró a cruzarlo en busca del oro del famoso oeste acabaría muriendo en él, precisamente por falta del elemento vital, el agua.

Igual trágica aventura hubiera podido resultar para Jesús pasar cuarenta días en el desierto sin beber. El hambre puede resistirse muchos días; la sed mata en muy pocos.

Los desiertos de Israel están en el sur del país y no muy lejos del río Jordán. En consecuencia, es posible que Jesús pudiera tener agua a su alcance en medio de la aridez del lugar escogido. Pero cuarenta días sin comer no dejan de ser todo un maratón de resistencia a las apetencias del cuerpo, incluido el mal dormir sobre la arena sin tener más que una piedra donde apoyar la cabeza y nada con qué cobijarse.

Se lee cómodamente que "pasó cuarenta días en el desierto sin comer" pero, por supuesto, no fue nada fácil la aventura tan alejada de cualquier comodidad. Y el hecho obliga a preguntarse qué haría en cada una de las veinticuatro horas y durante el día bajo un sol abrasador… Tal vez dolía más la abrumadora soledad en la que a las palabras sonoras —en el supuesto de que hablara consigo mismo para no sentirse tan solo— ahí sí materialmente se las llevaba el viento.

Es lógico imaginar que pasaba el tiempo caminando sobre la arena o sentado en ella, en coloquio anímico, en mental diálogo, en comunicación cordial con Dios Padre y Dios Espíritu Santo. Y es muy comprensible que precisamente a ello ayudaran en gran medida el silencio y la soledad, e incluso el perder la vista en el infinito del horizonte y del cielo estrellado de noche.

El cuerpo, de todas maneras, tiene un límite de resistencia a las fuerzas físicas y a las fuerzas espirituales. Se desprende de su propio peso que, después de tantos días sin comer, "sintiera" hambre. El entrecomillado "sintiera" pide una especial atención. Porque es cuando llegan las tentaciones. Y la primera será, precisamente, satisfacer el hambre.

Con el solo "sentir" no habría ningún problema; sería una consecuencia muy natural. No tenía ni tiene en sí ninguna maldad. No está condicionado por la voluntad de la persona. El cuerpo reacciona, la naturaleza manda y el individuo sabrá lo que se hace. El problema lo plantea siempre el Diablo, el enemigo eterno de

Dios. Y también ahí llegó él: "Di que estas piedras se conviertan en pan". En otras palabras: date gusto; satisfácete a como dé lugar; usa tu poder de Dios en tu propio provecho.

Es muy curiosa la propuesta porque es la primera tentación y también tendrá como un eco, que resonará como la última, ya en la cruz: "Si eres el Hijo de Dios, bájate de la cruz y creeremos en ti". En el desierto probablemente Satanás se hace presente en la apetencia misma de satisfacer el hambre y el pensamiento obsesionado con la necesidad. En el calvario, por boca del que le grita como burlándose de él.

La tentación, como estrategia del Demonio, puede tener y tiene siempre la forma más conveniente para el enemigo, para ganar la pelea entre el Bien y el Mal. En el paraíso dicen que tuvo forma de serpiente y de manzana para Eva y Adán. Para muchísimos otros Adanes tendrá la forma seductora de otras Evas. La propuesta del Diablo, sea como sea, siempre se presenta como algo más que bueno y satisfactorio puesto que, siendo realmente engaño, no parece serlo.

Y a pesar de todo, hasta aquí no hay ningún problema ni psíquico ni moral: es el sentir. El problema, y gravemente serio, residiría precisamente en que la persona no sintiera; porque entonces algo no funcionaría debidamente en su estructura somática. El cuerpo estaría pidiendo con urgencia una seria revisión médica.

El problema se plantea en lo que el tentado decide hacer tras el sentir. Y aquí entra siempre en juego el misterio del libre albedrío. La tentación no está bajo el control de mi voluntad. Pero lo que haga yo después de sentirme tentado depende absoluta y totalmente de mi voluntad. Será el "consentir" y dejarme ganar por el enemigo, o el "resistir" y no dejarme vencer.

El ejemplo de la inyección es bastante clarificador: si me clavan la aguja es natural que sienta el pinchazo en mi cuerpo y me duela; si no me doliera, tendría que preocuparme por mi salud.

También es muy natural que, al sentir el dolor, me deje llevar por la reacción y suelte un grito: "¡Aaay!". Pero si quiero, puedo proponerme no gritar y, aunque tenga que morderme los labios, ahí no pasa nada. El pinchazo es el sentir. El grito es el consentir. El callar mordiéndose los labios es lo que decide mi voluntad: resistir.

Jesús resiste. Y saca fuerzas en su debilidad precisamente de la Palabra de Dios: "No solo de pan vive el hombre". Pero el resistir y el aferrarse a la mismísima Palabra de Dios no acaba con la tentación. Ni mucho menos manda al Diablo al infierno. Por lo general, el enemigo persiste en su guerra, vuelve al ataque. Con Jesús lo intenta un par de veces más en ese mismo momento y no lo dejará en paz ya ni en la misma cruz y a punto de morir.

En el segundo ataque —dice Lucas en su *Evangelio*, Capítulo 4—, lo lleva a un lugar más alto y le muestra todos los reinos del mundo. Ni en todo Israel ni en ninguna parte del planeta Tierra hay un lugar tan alto desde donde puedan verse "todos los reinos del mundo". Lo más entendible e inteligente sería pensar que ahí entró en función el Diablo. Y es posible que, inclusive con los ojos cerrados, "viera" todo lo que el enemigo le proponía; tal vez sin palabras y solo con la imaginación.

Lo mismo podemos decir y pensar respecto de que, tras rechazar el segundo ataque, "entonces lo llevó el Diablo a Jerusalén, lo puso sobre la parte más alta del templo y le dijo: —Si tú eres el Hijo de Dios, tírate de aquí para abajo".

Mi fantasía se rebela a aceptar una escena peliculera de ficción con el Demonio y Jesús volando juntos por sobre el arenal del desierto y aterrizando en lo más alto del templo de Jerusalén. No. Ni mucho menos. El vuelo debió ser mental, psíquico, anímico. La provocación no le venía de afuera: le resonaba adentro. La tentación era una idea disparatada pero provocativa; un pensamiento retorcido pero de un atractivo espectacular; una alucinación —fenómeno típico del sediento en el desierto— que hace ver como real lo que está en la mente.

Y es la mente la que da la respuesta adecuada, recordando una frase del Deuteronomio, Capítulo 6: *"No tentarás al Señor tu Dios"*. Lucas añade que el Diablo, entonces, se alejó de él *"para volver en el momento oportuno"* (*Lucas* 4, 13). Y bien sabemos que volvió para hacerle sudar sangre de angustia y miedo en Getsemaní y gritar en la cruz: *"¡Dios mío! ¡Dios mío! ¿Por qué me has abandonado?"*.

Consecuentemente, yo no puedo pretender que el Diablo a mí me deje en paz. Tampoco me he de preocupar por lo que pueda "sentir", pero sí por hacerme fuerte para no "consentir", para no dejarme ganar por la tentación, para resistirme al Diablo a como dé lugar.

San Pablo nos dejó constancia escrita de su guerra personal en su segunda carta a los cristianos de *Corintios*, Capítulo 12, versículo 7:

> *Y precisamente para que no me pusiera orgulloso después de tan extraordinarias revelaciones, me fue clavado en la carne un aguijón, verdadero delegado de Satanás, para que me abofeteara. Tres veces rogué al Señor que lo alejara de mí, pero me respondió: "Te basta mi gracia: mi fuerza actúa mejor donde hay debilidad".*

Cuál sería el aguijón clavado en su carne, Él y Dios sabrían. Y si uno piensa en las tentaciones del sexo, tal vez da en el blanco. Lo cierto es que el Demonio no lo dejaba en paz y, al pedir ayuda al cielo, Dios le dice más claro que clarísimo que con su gracia le bastaba. En otras palabras, Dios estaba en el desierto, Dios estaba en la cruz, Dios estaba con Pablo, Dios está conmigo también. La fuerza de Dios —la conexión inalámbrica instantánea y posible a cada momento por la oración y los sacramentos— actúa mejor en mi debilidad.

Capítulo X

¿Los trozos? ¿Para qué?

Tomó entonces Jesús los panes y dando gracias
entregó a los que estaban recostados,
e igualmente de los peces, cuanto quisieron.
Así que se saciaron, dijo a sus discípulos:
—Recoged los pedazos que han sobrado para que no se pierdan.
Los recogieron y se llenaron doce cestos.
—Juan 6, 11

Aquello rebasó el límite de lo extraordinario. Había una muchedumbre incontable. La misma montaña quedó pequeña ante el prodigio.

—¿Qué les daremos de comer?

—Señor, no sé…

Y Andrés, que a lo mejor también sentía hambre, hace notar:

—Aquí hay un muchacho que tiene cinco panes.

Lo demás nadie se lo explicó. Empezaron los apóstoles a repartir y en las manos de Jesús el pan no se acababa. Poca cosa era para toda una comida, pero el pescado acompañaba. Pedro, más que nadie, estaba pasmado al ver que había comida para todos. Y hasta el sol se iba, asombrado de la escena, a contar la maravilla a los montes del otro lado del horizonte.

La gente se sació. Eran miles de personas satisfechas. Y todavía quedaban panes a medio comer.

—Recoged los trozos —mandó el Maestro.

—¿Qué dijo? —se atrevió a preguntar alguno, como dudando de haber oído bien.

Y los apóstoles que antes repartían satisfechos, con gesto de esplendidez, panes enteros, comenzaron reverentemente, pero un tanto extrañados, a amontonar los pedazos dejados. Y Pedro se pasmaría todavía más pensando para qué los quería el Señor, si con solo querer, tenía los panes enteros. Es fácil imaginar que él y algún otro más se dejaran adrede los trocitos más pequeños, pensando que por pequeños no valía la pena recogerlos. Y posiblemente Jesús insistiría, señalando la menudencia de algún trocito.

—Eso también. Todo, todo. Allí hay otro pedacito...

Y luego miraría complacido los cestos llenos para remarcar:

—Fijaos. Mirad.

—Uno, dos, tres...

—¿Doce cestos? Es mucho pan también.

Es obligado pensar en aquellos doce canastos. Sin duda los apóstoles se quedarían como avergonzados —sobre todo Pedro que, impulsivo, no le veía sentido a la orden— al ver cuánto pan se habría perdido de no haber dado Jesús la orden de recoger los trozos. ¡Eran doce canastos!

¿Con que de los desperdicios se pueden hacer montones? ¿Con que de lo despreciado se puede recoger mucho? ¿Con que de las menudencias se puede sacar buen provecho? ¿Con que con lo pequeño se pueden llenar doce canastos? Decididamente tendré que tener cuidado de perder un minuto, de decir aquella palabra, de echarle un ojo a aquello, de pensar por un momento en lo otro, de creer que una mentirita no tiene importancia... Porque de las pequeñeces también yo puedo llenar canastos. Por ahí anda quien ahora puede darse el lujo que quiera porque antes se pasó la vida recogiendo botellas vacías y botes tirados.

Se dice que una vez un amigo fue a visitar al gran Miguel Ángel, el famoso escultor, que estaba ocupado en pulir una de sus insuperables esculturas. Después de algún tiempo, el amigo volvió y encontró a Miguel Ángel ocupado en el mismo trabajo. Le preguntó si desde la anterior visita había estado ocioso.

—De ninguna manera —le replicó el gran escultor—. He retocado esta parte. He nivelado esta otra. He afinado este detalle. He puesto en relieve este músculo. He dado mayor expresión a los labios y mayor vida a los miembros.

—¡Pero si todo esto son insignificancias! —objetó el amigo.

—Tal vez —replicó el gran artista—, pero recuerda que las cosas pequeñas e insignificantes hacen la perfección. Y la perfección no es una cosa pequeña.

En el orden espiritual, también hay que aprovechar lo insignificante. Vale mucho lo pequeño. Sirve en gran medida cualquier detalle. Hay que recoger siempre las migajas. Un pensamiento. Una inspiración. Un buen ejemplo. Un buen consejo. El detalle de una palabra. La pequeña mortificación. Tal vez un simple silencio. Las menudencias de la vida ordinaria desparramadas a lo largo de cada jornada.

¡Ay, mi buen hermano! Cuidado con los pecados de los desperdicios. Sí; algo parecido a los pecados de omisión.

La orden del Señor Jesús sigue sonando: "Recoged los trozos". Y para quien la siga cumpliendo, los resultados serán igualmente espectaculares e igualmente asombrosos.

Capítulo XI

La adúltera perdonada

Le llevaron entonces los escribas y fariseos,
una mujer sorprendida en adulterio.
Y poniéndola en medio le dijeron: —Maestro, esta mujer
ha sido sorprendida en flagrante adulterio.
En la Ley Moisés nos mandó apedrear a estas mujeres.
¿Tú qué dices?
—Juan 8, 3

Ella había nacido muy agraciada. Era esbelta como una palmera de Cades. Bien plantada como un cedro del Líbano. Con una cascada de sol del desierto por cabellera. Unos ojos azules como el mar de Galilea en calma. Una cara rosada como un almendro en primavera. Unos pechos hermosos como manzanas del Edén. Un talle de junco como los de los matorrales a orillas del Jordán. Un porte de gracia como la de todos los lirios en Nisán. Era como una flor silvestre a la que quieren besar todos los vientos.

Pronto, muy pronto, se le acercaron los ávidos abejorros. Ella primero se rió de los zumbidos, pero acabó dejándose morder y complaciéndose también en la incomparable dulzura de ser víctima. Un hombre la quiso en exclusiva para sí. Se dejó llevar ante el rabí de la sinagoga y se veía linda con el típico atuendo nupcial.

"Yo os declaro marido y mujer", dijo solemne y pausado el rabí; "creced y multiplicaos. Y el Dios de nuestros padres Abraham, Isaac y Jacob, os llene de sus bendiciones y de felicidad".

No cambió el cielo de color ni los vientos dejaron de soplar. Ninguna fruta alcanza su madurez con una noche, aunque sea de luna llena. No le dio conciencia de casada ni su luna de miel. Amanecer tras amanecer tampoco venían los hijos. Y ni se cumplía la orden paradisíaca ni se podían cumplir deseos y promesas si no había descendencia. Las bendiciones de Dios impetradas en su boda no se traducían en abundancia de nada. Y porque en este mundo la felicidad siempre —¡sin excepción!— es muy relativa, ella, joven y agraciada, comenzó a sentir la fiebre ansiosa y el ansia febril de la maldita insatisfacción.

"¡Oh, Dios!", pensaba asustadísima. "¿Adónde me van a llevar? ¿Qué me van a hacer esos lobos? Porque son eso: unos lobos. ¡Hijos de Luzbel! ¿Por qué tienen que meterse en la vida de una? ¿Qué les importa a ellos lo que yo haga?".

Dos hombres la agarraban fuertemente por las muñecas y otros más los acompañaban escupiendo insultos. Ella ni oía, porque el miedo le crecía por dentro de tal manera que ya le salía por los ojos desorbitados.

"Me van a matar", pensaba entre lágrimas. "Seguro que me van a matar los desalmados. ¡Oh, Yavé, ten compasión de mí! Yo quiero vivir, yo quiero vivir".

Forcejeaba y se resistía, pero ellos eran más fuertes. Por un instante renegó interiormente de ser mujer. Le salió la protesta en un grito monosilábico pero largo y repetido:

—¡Nooo! ¡Nooo!

Asustadísima y desesperada, ni cuenta se daba hacia dónde la llevaban. Conocía de sobra aquellos pétreos muros altos del gran Templo de Salomón. ¿La harían pasar además por la vergüenza de una parodia pública de juicio? Porque de todas maneras la iban a condenar. La habían atrapado en adulterio. No se explicaba cómo ni por qué. Al efebo que la arrebató al último cielo, le nacieron alas y voló. A ella, la adúltera, le tocaba morir apedreada.

Cerca de la entrada principal del gran templo, la botaron a los pies de aquel joven rabí.

—Maestro —dijo uno que habló por todos—, aquí la tienes.

Un coro de canes comenzó a ladrar.

—¡Es una hetera!

—¡Una meretriz!

—¡Una mozcorra!

—¡Es una gorrea!

Ella no sabía ante quién estaba y se deshacía en sollozos.

—Es casada —puntualizó el que hablaba por todos— y ha cometido adulterio. La hemos atrapado in fraganti, aunque el joven se nos escapó. La Ley manda que muera a pedradas. ¿Tú qué dices, rabí?

Y el rabí no decía nada. Estaba sentado en una piedra y garabateaba en el polvo del suelo. Aquel silencio le serenó misteriosamente el alma a ella y se atrevió a levantar la mirada. Fue la primera vez que vio la cara hermosa de aquel hombre joven. Se restregó sus ojos llorosos y se dio cuenta de que Él vestía una túnica inconsútil.

—No puede ser el gran sacerdote —pensó intrigada—; es muy joven para ello. ¿Quién será ese rabí?

Pero aquel silencio también impacientó a los acusadores, ansiosos por ser verdugos.

—Sí, tú, Maestro, ¿qué dices?

—El que esté limpio de pecado —sentenció el rabí— que tire la primera piedra —y siguió escribiendo en el polvo del suelo.

Ellos se miraron unos a otros en silencio y desconcertados. Y pensándolo todos bien, comenzando por los más viejos, se fueron refunfuñando entre dientes:

—A ese nazareno no se le atrapa tan fácilmente.

Se cruzaron las miradas y ella sintió que le llegaba al alma una luz de esperanza y una brisa de compasión. Él se puso de pie y le preguntó con naturalidad:

—¿Cómo te llamas?

—Lidia, señor —contestó ella esbozando una sonrisa de confianza.

—¿Nadie te ha condenado?

—Nadie, señor.

—Ándale, pues, Lidia. Tampoco yo te condeno. Vete en paz y no vuelvas a pecar más.

Ella sintió el impulso de darle un abrazo, pero él se dio la vuelta y se adentró en el templo. Ni siquiera le dio tiempo de preguntarle quién era, cómo se llamaba. Como una autómata, se le fueron las manos a la cara y arrancó a llorar. Pero ahora era de alegría. Y con los ojos tapados veía más luminoso y seductor aquel rostro joven del rabí que acababa de perdonarla.

Habían pasado varios días y el aire de aquella mañana le trajo la sorprendente noticia: Ismael, el ciego de nacimiento, había recobrado la vista lavándose en la piscina de Siloé. En toda la ciudad no se hablaba de otra cosa porque *"el hombre llamado Jesús"* (*Juan* 9, 11) había realizado la maravilla precisamente en sábado.

Al poco tiempo sucedió algo mucho más sorprendente todavía en la cercana Betania: el joven rabí se acercó a la tumba del hermano de Marta y María, enterrado por tres días, y le gritó:

"¡Lázaro, sal fuera!". Y el muerto volvió a la vida. Increíble pero cierto.

Anteayer, allí en la gran ciudad, fue una locura. Lidia no supo qué pasaba hasta que salió a ver. Jerusalén estaba llena de forasteros con motivo de la Pascua. Pero ella no había oído nunca tal griterío ni aclamaciones ni cantos, ni había visto jamás tanta gente con palmas como la que acompañaba al joven rabí que la había perdonado.

—¿Quién es ese que viene montado sobre el burrito? —preguntó al paso de aquel torrente de entusiasmos.

—¡Es el que viene en el nombre del Señor! —le contestó el desconocido agitando contento su ramo de olivo.

—¡Hosanna, hosanna, al hijo de David! —gritaba la multitud, desde los niños hasta los más viejos.

—¿Pero cómo se llama? —insistió ella.

—¡Jesús de Nazaret!

Se pegó a las piedras de la vieja pared porque la riada humana crecía, mientras en su mente se repetía sin acabar de entender: "¿Jesús? ¿De Nazaret?".

En aquel momento, el joven rabí, a horcajadas sobre un pollino, pasaba ante ella y la miraba insinuando una sonrisa. Mientras lo veía, entre hosannas resonaba en su mente como un eco que no acababa: "Jesús de Nazaret. Tampoco yo te condeno. Vete en paz y no vuelvas a pecar más".

Sin darse cuenta, puso su mano derecha sobre el pecho y sintió algo como jamás había sentido en su corazón. Y sin darse cuenta también, se le asomaron por los ojos unas lágrimas que eran de pena y de alegría, de vergüenza y de ilusión, de arrepentimiento y de esperanza.

Quiso correr tras la multitud y alcanzar al joven rabí que la había perdonado para decirle: ¡Gracias, Señor! Pero pensó que si Dios quería, tal vez se presentara una mejor oportunidad.

Y sonriendo entre lágrimas porque Él le había sonreído entre hosannas, regresó despacio a su casa.

Cinco días más tarde, una vecina la sobresaltó:

—¿No vienes, Lidia?

—¿A dónde?

—Al Gabbathá, mujer.

—¿Pero por qué? ¿Qué pasa?

—Ayer prendieron a Jesús de Nazaret y…

Como se dispara un resorte, se le fueron las dos manos sobre la boca y emitió una profunda aspiración de angustiada sorpresa.

—…y ahora el pretor lo va a juzgar.

Se acomodó su velo blanco y salió corriendo con su vecina. El corazón se le aceleró. La multitud llenaba la plaza y todos gritaban como locos:

—¡Fuera! ¡Fuera! ¡Crucifícalo! ¡Crucifícalo!

Se sintió como hoja seca que arrastra el vendaval. Allá, en el fondo de su alma, se formó una nube negra de odio contra el pretor por su injusta sentencia de muerte.

Los soldados abrían paso y la gente se apretaba contra las paredes de la calle que era el camino del Gólgota. Abría la comitiva el emblema de Roma y el portador del pergamino con la sentencia: "Jesús Nazareno Rey de los judíos".

Alguien comentaba alrededor que Pilatos había intentado liberarlo, pero la gente había preferido a Barrabás; que mandó a azotarlo y los soldados lo coronaron burlonamente de espinas; que los del Sanedrín le tenían mucho odio y ahora iba cargando su cruz; que… Los tamborazos de los romanos sonaban ya tan recios que ni los gritos se oían.

—¿Quiénes son esos dos?

—Son Dimas y su compañero, un par de ladrones que ahora pagan sus fechorías.

Cerraba la comitiva Jesús. Su túnica inconsútil estaba manchada de sangre. El madero lo encorvaba. Se había parado un momento para consolar a unas piadosas mujeres que lloraban a su paso, pero el sayón no le tenía ninguna piedad con su látigo.

Al llegar donde estaba Lidia, se paró un momento otra vez y se volvió a mirarla. ¡A ella, sí! A la adúltera perdonada. A la pecadora arrepentida. No sonrió, pero su mirada decía mucho más que mil sonrisas y que todas las palabras.

Ella no supo ni qué hacía pero se sintió arrebatada. Con todas sus fuerzas braceó como un náufrago desesperado, rompió la barrera humana, se acercó a Jesús y entre lágrimas, rápidamente se sacó el velo y enjugó el rostro sudoroso y ensangrentado del joven rabí. Él entonces volvió a sonreírle. Y ella se hubiera quedado extasiada de puro gozo si un soldado romano no la hubiera empujado a un lado con su lanza.

El velo se le había manchado y se lo dobló amorosamente sobre el pecho. Por primera vez en su vida tuvo la impresión en su alma de haber hecho algo que valía la pena de verdad. No quiso seguir a toda la gente que iba al calvario para ver morir a los crucificados. Se fue a su casa y con el velo apretado contra su pecho, lloró como nunca había llorado.

Cuando hubo desahogado su alma, se dispuso a lavar su velo. Y mientras más restregaba la tela, menos se iban las manchas. Pero cuando lo extendió, se llevó su mayor sorpresa, que la dejó sin aliento. El velo no estaba manchado de sudor y sangre. El velo tenía grabado el rostro de Jesús.

Lo extendió y lo colgó en la pared de su alcoba. Y se pasó horas contemplándolo extasiada. De repente oscureció antes de tiempo y la casa tembló. Ella no se asustó. Como si el aire negro de aquella tarde de Nisán le trajera la triste noticia, adivinó que Él había muerto en la cruz.

Más tarde supo, por el decir de las gentes, que el mismo

centurión romano había exclamado después de todo: *"En verdad este hombre era el hijo de Dios"* (*Marcos* 15, 39); que allí, al pie de la cruz, *"estaba María, su madre"* (*Juan* 19, 25); y sintió que, sin conocerla, le brotaba en su corazón una devota admiración por aquella mujer. Supo de la misma manera que el señor don José, un ricachón de Arimatea, que pidió el cuerpo a Pilatos (*Juan* 11, 35) y lo enterró en su sepulcro sin estrenar; que los viejos del Sanedrín habían pedido al pretor poner guardia a la sepultura *"para evitar que los fanáticos robaran el cuerpo y dijeran luego que había resucitado"* (*Mateo* 27, 62).

Al tercer día, ella estaba abstraída contemplando aquel rostro impreso misteriosamente en su velo blanco. Era exactamente la misma cara del joven rabí que la había perdonado, pero con corona de espinas y las huellas del sufrimiento.

¿Quién y por qué lo había tratado tan mal? En el fondo de su alma algo le decía que ella misma tenía, de alguna manera, su parte de culpa en aquella desfiguración. Y le subía la vergüenza por todo el cuerpo hasta convertírsele en rubor de las mejillas y en lágrimas de los ojos.

De pronto… Primero apretó con fuerza los párpados para cerciorarse de que no estaba soñando despierta. Después abrió desmesuradamente sus pupilas para captar todo el asombro y asegurarse de que no era una alucinación. Por último, se le paralizó la boca totalmente abierta por el estupor que la desbordaba. Aquel rostro del velo tomó vida, se transformó en divinamente hermoso y allí, ante ella, estaba Jesús, de cuerpo entero, resplandeciente, resucitado.

Juntó las manos sobre su pecho mientras caía de rodillas y balbuceó:

—¡Señor…!

Él le sonrío. Y su sonrisa fue más cautivadora que nunca.

En cualquier esquina de las calles de Jerusalén, los transeúntes pudieron ver y oír por muchos años a una viejita que mostraba su velo blanco con el rostro de Jesús mientras repetía incansable y gozosa:

—Yo le limpié la cara cuando lo llevaban a crucificar. Yo sé que vive glorioso. Yo lo vi resucitado y me sonrió. ¡Me sonrió! ¡Sííí! ¡Me sonrió!

Y no faltaba quien la increpara:

—¡Ay, cállate ya, vieja loca!

A lo que ella replicaba:

—¡Loca sí! ¡Loca por Jesús!

Capítulo XII

Diálogo con Lázaro

Y Jesús, seis días antes de la Pascua, fue a Betania,
donde estaba Lázaro, al que había resucitado
de entre los muertos.
Allí le ofrecieron una cena.
Marta servía y Lázaro era uno de los comensales.
—Juan 12, 1

Faltaban pocos días para la gran fiesta de la Pascua y en Jerusalén se respiraban malos aires. Los pontífices y fariseos no dormían en paz. Jesús de Nazaret había alborotado la opinión pública más que un vendaval las arenas del desierto y el polvo de los caminos.

¿Qué había hecho? ¡Casi nada! ¡Había resucitado a Lázaro de Betania, enterrado de cuatro días!

"Muchos de los judíos que habían venido a casa de María y vieron lo que hizo creyeron en él" (*Juan 11, 46*). Otros, sin embargo, provocaron una reunión urgente para discutir y decidir qué hacer. Caifás, el pontífice, fue el que tuvo la inspiración: había que acabar con Jesús. Ordenaron, pues, *"que si alguno sabía dónde estaba lo denunciase para prenderlo"* (*Juan 11, 57*).

Fue entonces cuando mucha gente se preguntaba si Jesús se atrevería a ir a Jerusalén para celebrar la Pascua mientras él andaba con sus doce por Efrén, cerca del desierto. Pero he aquí que, exactamente seis días antes de la fiesta, Jesús llega a Betania y cena tranquilamente con sus amigos del alma, Marta, María y Lázaro.

"Muchos judíos supieron que Jesús estaba allí y acudieron no solo por Jesús sino también por ver a Lázaro" (*Juan* 12, 9). Uno de los que había acudido era Gamaliel, el famoso rabino que tenía alumnos muy aventajados —como Saulo de Tarso— y que se sentía medio atraído por todo lo que hacía y hablaba Jesús, y medio desconcertado, sobre todo por lo de la resurrección de un muerto.

La casa era amplia. Todos los llegados se acomodaron bien. Marta comenzó a servir. Gamaliel se las arregló para sentarse junto a Lázaro. Y tuvo lugar entonces allí la primera, digamos, entrevista de un hombre de letras con el primer regresado de la muerte.

—Oye, dime una cosa: ¿estuviste muerto, muerto; lo que se dice muerto de verdad o... era solo un letargo? —preguntó Gamaliel para empezar.

Lázaro sonrió. Ya sus propias hermanas, Marta y María, y sus tíos, sus primos y todos sus parientes le habían preguntado exactamente lo mismo cuando volvió a la vida por orden de su amigo Jesús.

—¡Dime! —insistió interesado el rabino.

—Es que... no sé qué decirle, maestro.

—¿Cómo? ¿No sabes si estabas muerto, muerto o solo aletargado, como dormido?

—Es que todo depende, creo yo, de qué se entiende por muerte.

—Pero es que no puede entenderse más que una cosa: falta de

vida. El cuerpo queda inanimado. Y sin ánima, sin espíritu, sin vida, se corrompe, se deshace, vuelve al polvo de donde hemos salido.

—Pues entonces yo creo que sí estuve muerto de verdad. Por lo menos mis hermanas me dijeron que mi corazón se había parado. Por eso me enterraron, claro está. Usted sabe que cuando uno se queda dormido también está como muerto. Pero la sangre sigue su curso automáticamente.

—Así es. Y de la misma manera que hay algunos animales que se pasan su buena temporada dormidos o en letargo, igual hubiera podido ser que...

—Que yo hubiera quedado dormido o en letargo, como dice usted.

—Exacto.

—Mire usted, Gamaliel, mis hermanas me dijeron que justamente eso fue lo que dijo Jesús cuando le mandaron el recado de que yo estaba enfermo: *"Esta enfermedad no es de muerte sino para gloria de Dios"* (*Juan* 11, 4). Y por eso no acudió luego. Y al tercer día dice que les dijo a los suyos: *"Lázaro, nuestro amigo, duerme pero voy a despertarlo"* (*Juan* 11, 11).

—Entonces...

—Lo cierto es que yo me sentí muy mal, di un último suspiro, me cerraron los ojos, me amortajaron y me enterraron entre lágrimas de mis hermanas y demás parientes y todos los chillidos y ruido de las plañideras.

—¿Y qué pasó? Quiero decir, ¿adónde te fuiste? ¿Qué viste? ¿Con quién te encontraste?

Lázaro volvió a sonreír. Tomó un sorbo de una copa y, con ella todavía en la mano, añadió pausadamente y enfatizando cada frase:

—Maestro, siento mucho decirle que no pasó nada. No fui a ninguna parte. No vi absolutamente nada. No me encontré con nadie.

Gamaliel frunció el ceño y se mesó las barbas pensativo. Lázaro siguió:

—Para mí todo fue oscuridad. Me sumí en una negrura sin fin. Me quedé como un pergamino escrito al que borras con vinagre: vacío, así me quedé. Vacío y borrado del mundo de los vivos.

—¿No estuviste, pues, en el Seol?

—En todo caso, mi tumba sería mi Seol. Yo creo, maestro, que todo fue como una pausa en una melodía, como un silencio en una canción.

El rabino casi sonrió a medias y asintió con la cabeza.

—Bonita comparación, sí señor.

—Y todo para manifestarse así la gloria de Dios, como dijo Jesús, y el ser glorificado como el Hijo de Dios que es. Créame. Si no fuera Él lo que es, ¿cómo volvía yo a la vida? ¿O cómo curaba al ciego de nacimiento que todo el mundo conoce? ¿Con la saliva y el polvo? ¿O piensa usted que lo curó el agua de la piscina de Siloé? ¿Y tantas otras maravillas como Él ha hecho? ¡Nooo, Maestro! ¡Él es el Hijo de Dios, el Mesías esperado!

—Puede que tengas razón.

—La tengo, la tengo. Créame. La tengo.

—Pero cuéntame qué hizo para resucitarte, para volverte a la vida, para sacarte de la tumba.

—Bueno… Yo nada más sé lo que mis hermanas me contaron, como usted comprenderá. Según ellas, se tardó cuatro días en venir. Y cuando Marta supo que llegaba, dice que salió a su encuentro y le dijo que si Él hubiera estado aquí, yo no habría muerto. A lo que Jesús le respondió: "Tu hermano resucitará". Y mi hermana dice que le replicó que ya lo sabía, que yo resucitaría en el último día. Y entonces Jesús le afirmó, con sencillez, algo maravilloso: "Yo soy la resurrección y la vida".

—¿Eso dijo? ¿Exactamente eso?

—Exactamente eso. Y añadió: "El que cree en mí, aunque muera, vivirá. Y todo el que vive y cree en mí no morirá para siempre". Y le preguntó con naturalidad: "¿Tú crees esto?".

—¿Y tu hermana dijo que sí creía?

—Marta dice que le contestó: "Sí, señor, yo creo que Tú eres el Cristo, el Hijo de Dios que ha venido al mundo".

—¿Y qué más?

—Bueno, después dice que Marta fue a decirle a María que Jesús había llegado. Y María corrió, dice, llorosa a su encuentro y, al encontrarlo, dice que Jesús también lloró. Entonces dice que le preguntó dónde me habían puesto y lo llevó a mi sepulcro. Y allí Él mandó quitar la losa sin hacerle caso a ella de que iba a oler muy mal. Abierto el sepulcro, Él elevó un momento sus ojos al cielo y luego me gritó: "¡Lázarooo... sal fuera!".

—¿Tú lo oíste?

—Claro que lo oí. Oí su grito y sentí como si una extraña fuerza magnética me hiciera levantar y me pusiera de pie en la puerta del sepulcro. Nada más que no podía moverme, porque estaba con toda la mortaja, usted sabe... Por eso Él mandó que me quitaran las vendas y los lienzos.

—Me hubiera gustado estar presente y haberlo visto con mis propios ojos.

—Ocurrió tal y como le digo, maestro.

—Entiendo, entiendo.

—Para mí fue como un despertar, como un oír de nuevo la melodía interrumpida, como seguir un camino tras un descanso... Pero ahora tengo un convencimiento más en mi pensar.

—¿Y es...?

—Que mi amigo Jesús es la razón de la vida que Dios Padre quiera concederme. Y que de alguna manera he de pagar el maravilloso regalo que Jesús me ha hecho.

En aquel momento pasaba junto a ellos María con un frasco

en las manos. Lázaro volvió la cabeza para sonreírle. Gamaliel la siguió con la mirada seducido por aquella esbeltez y la vio arrodillarse a los pies de Jesús. Al instante, toda la sala se inundó del suavísimo olor de un delicado perfume. María vaciaba el frasco a los pies del mejor hombre que había conocido en su agitada vida y los enjugaba con su larga, sedosa y rubia cabellera.

Algunos comensales se habían puesto de pie. Otros se quedaron con la copa en la mano a medio camino de la boca. Los más aspiraban complacidos la súbita fragancia. Toda la casa olía a nardo. Entonces Judas hizo oír su voz:

—¡Qué derroche! ¡Lástima que no se hubiera vendido ese perfume! Por lo menos se hubieran podido sacar trescientos denarios que se hubieran podido dar a los pobres…

Alguien, que lo conocía muy bien, le preguntó:

—¿Y desde cuándo a ti te preocupan los pobres?

Intervino Jesús:

—Déjala que lo haga para el día de mi sepultura. Que a los pobres siempre los tenéis con vosotros, pero a mí no me tendréis siempre.

—Juan 12, 7.

Gamaliel se acercó al oído de Lázaro para preguntarle, haciendo hueco con su mano derecha:

—Oye, tu hermana está enamorada de Jesús, ¿verdad?

—Enamorada es poco… —sonrió Lázaro—, ¡enamoradísima! Le aseguro que si ella fuera hombre, lo seguiría como un perrito; sería uno de sus doce. Seguro. Recuerdo que un día llegó Jesús a la casa. Yo no estaba pero Marta me lo contó después. Ella se afanaba en atenderlo bien y preparar una buena comida y tenerlo todo bien dispuesto. Entraba y salía, ahora por agua, ahora por leña, y disponía la mesa. Y María estaba tranquilamente sentada a los pies de Jesús, bebiéndose su aire. Hasta que Marta, la pobre, no pudo menos que reclamarle a Jesús: "Señor, mira esa qué bien sentada a tus pies, mientras yo tengo que hacerlo todo. Ay, dile que me ayude, por favor". Y Jesús le contestó sonriendo que ella se afanaba por muchas cosas y solo una era necesaria, y que María había escogido la mejor parte. Ella es muy diferente de Marta. Marta es más activa. María es contemplativa. Lo quiere mucho. Todos queremos mucho a Jesús.

—Lázaro, una última pregunta.

—Sí, maestro, todas las que quiera.

—No. Ya es mucho lo que hemos estado hablando. Y te agradezco sinceramente que hayas tenido tanta amabilidad y consideración conmigo.

—No hay de qué.

—Sí, sí hay. Que Yavé te bendiga por ello. Pero para acabar: ¿qué piensas hacer? Quiero decir, ¿tienes algún propósito, algún proyecto, algún plan de vida después, digamos, de tu muerte?

Lázaro se quedó por un momento callado como quien piensa la mejor respuesta. Esbozó una sonrisa y mientras le ponía amistosamente una mano sobre el hombro a Gamaliel, le dijo:

—Maestro, Dios dirá. Dios dirá.

Una antigua tradición recoge la creencia de que Lázaro llegó con sus hermanas a Provenza, la región sureste de Francia. Y llegó a ser obispo de Marsella. En el Martirologio Romano se menciona su fiesta el 17 de diciembre.

Capítulo XIII
María de Magdala

El día primero de la semana,
María Magdalena vino muy de madrugada,
cuando era aún de noche, al monumento
y vio quitada la piedra del monumento.
Corrió y vino a Simón Pedro
y al otro discípulo a quien Jesús amaba y les dijo:
—Han tomado al Señor del monumento
y no sabemos dónde lo han puesto (...).
María se quedó junto al monumento, fuera, llorando.
—Juan 20, 1-11

I

Que ella estaba enamorada
todo el mundo lo sabía
en Magdala, Galilea,
la Pentápolis y Siria.

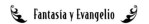

Era más que enamorada
desde que Él cambió su vida.
Era joven, bien plantado,
por los treinta rondaría;
nazareno, morenazo,
blanca túnica vestía.
Y si verlo cautivaba,
el oírlo seducía.

Ella, loca de ansiedades,
daba tumbos en su vida
y eran siete los demonios
que en su cuerpo y alma había.

Él, Jesús, con doce amigos,
a Magdala llegó un día
cuando allá en aquel mar-lago
tarde y sol se sumergían.

Su palabra es dulce y fresca
cual los rizos de la orilla.
Y del Reino de los Cielos
habla y habla que extasía.

Ella siente que Él imanta
y que es ella una partícula.
Se le acerca y Él la ve.
Ella llora y Él la mira.

La derecha toca el velo
y se siente estremecida,
mientras suena en sus oídos
como dulce melodía:

—Es tu fe la que te salva;
queda en paz. Dios te bendiga.
Ella arranca en un sollozo
desbordada de alegría.

II

Ha tres años que lo sigue,
y tras Él se fue a Judea,
que la fiesta de la Pascua
es la fiesta de las fiestas.

Conoció y la quiere mucho
a María nazarena,
viuda y madre de tal Hijo
y sin par por su belleza.

Se llenó de puro gozo
cuando vio la entrada aquella
de Jesús sobre un burrito,
un gentío cual marea,
palmas, vítores y hosannas,
sorprendente primavera,
plenilunio de Nisán,
profecías ya completas.

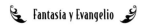

La ciudad lo recibía
a Jesús como quien era:
descendiente de David,
el gran Rey de las promesas.

Y las manos sobre el pecho,
impidiendo le saliera,
apretaba el corazón
entre lágrimas, con fuerza,
ella, más que enamorada,
sí, María Magdalena.

III

El por qué ni el cómo sabe
se han tornado aquellos vientos
en terrible tempestad.
Se llevaron al Maestro,
lo juzgaron sin justicia,
rey de burlas me lo hicieron,
lo azotaron y de espinas
la corona le pusieron.

Y allá arriba en el calvario,
entre dos ladrones puesto,
en la cruz me lo clavaron
y más burlas me le hicieron.

Al morir tembló la tierra,
tenebroso se hizo el cielo,
y allá abajo, en la ciudad,
se rasgó el velo del templo.

Ella estaba con su madre
que de pie aguantó el tormento,
dolorosa y afligida,
de entereza gran ejemplo.
Se la dio Jesús a Juan
en sublime testamento.

Lo bajaron de la cruz,
lo taparon con un lienzo
y le dieron sepultura
con el bálsamo de besos.

Y María de Magdala,
ya dos noches en desvelo,
llora y llora por su amado
sin parar y sin consuelo.

Con el alba, al tercer día,
corre a solas hacia el huerto.
Va cargada de perfumes
y de vendas y de ungüentos,
porque quiere embalsamar
a su amado Jesús muerto.

Cuando llega... ¡qué sorpresa!
Al sepulcro lo ve abierto.
"¡Oh, Yavé! ¡Y está vacío!
¿Quién se habrá robado el cuerpo?",
entre lágrimas se dice.
Y no toca su pie el suelo
de regreso a la ciudad
a contar lo visto a Pedro.

IV

—¿Cómo?
—¿Qué?
—Lo que les digo:
¡nos robaron al Maestro!

¡El sepulcro está vacío!
¡Yo llegué y estaba abierto!
—Juan, ¿qué crees que ha pasado?
—Dios sabrá. Vamos a verlo.

Y las ansias ponen alas
a los pies de Juan y Pedro.
Juan le gana, pues más joven
corre más: llega primero.

¡No, no está Jesús! ¡No está!
Y ni rastro de su cuerpo.
Se regresan pensativos
pero Juan ríe por dentro.

Magdalena se ha quedado
a llorar su desconsuelo:
—¿Dónde está Jesús, mi Amado?
¡Yo sin Él de pena muero!

Entre lágrimas divisa
al que cree el jardinero.
—¿Qué te pasa? ¿Por qué lloras?
—¡Me robaron a mi cielo,
mi Jesús! Si has sido tú,
por Dios, dime do lo has puesto.
Un instante de ansiedad
eterniza aquel momento.

El no más dice: —¡María!
Y ella grita: —¡Mi Maestro!
—mientras cae de rodillas.
Y allá dentro, muy adentro,
siente un gozo incomparable
pues descubre en tal momento
que con Él vivo y glorioso
en la Tierra tiene el cielo.

Capítulo XIV
El ciego Bartimeo

Acercándome a Jericó, estaba un ciego sentado al camino pidiendo limosna. Oyendo a la muchedumbre que pasaba preguntó qué era aquello. Le contestaron que era Jesús nazareno que pasaba. Él se puso a gritar diciendo:
—Jesús, hijo de David, ten piedad de mí.
Los que iban en cabeza lo reprendían para que callase, pero él gritaba cada vez más fuerte:
—Hijo de David, ten compasión de mí.
Deteniéndose Jesús mandó que se lo llevasen y cuando se le hubo acercado le preguntó:
—¿Qué quieres que te haga?
Dijo él: —Señor, que vea.
Jesús le dijo: —Ve, tu fe te ha hecho salvo —y al instante recobró la vista y lo seguía glorificando a Dios.
—Lucas 18, 35-43

Jericó, a unas quince millas al noreste de la gran Jerusalén, tenía su importancia. Era paso obligado para los galileos que fueran a Judea. La ciudad fue fortificada por el general sirio

Baquieres y por los hermanos Macabeos. Herodes erigió allí una fortaleza que llamó Kypros en honor a su madre. Entre la fortaleza y su palacio edificó varias quintas, un hipódromo y un anfiteatro. Canalizó el agua necesaria y construyó jardines también. Herodes estableció muchas veces su residencia en Jericó. Allí cometió algunos de sus horrendos crímenes. En el año cuatro después de Cristo mandó la ejecución en masa de los fariseos que habían derribado el águila de oro de la gran puerta del templo, además de mandar a su propio hijo Antípater a su muerte. Allí en Jericó, el palacio del rey y las fincas del entorno fueron saqueados por unos resentidos dirigidos por el antiguo esclavo Simón. Arquelao, el otro hijo que sucede a Herodes, reconstruye y embellece más la ciudad.

Jesús pasaba por Jericó camino de Jerusalén por lo menos cada Pascua. Esa vez ocurriría el encuentro con el chaparro Zaqueo encaramado a un sicomoro. El mismo camino le sirve para la parábola del buen samaritano.

A la salida de la ciudad, por la parte suroeste, sentado junto al portalón de la muralla, está cada día y desde años, un hombre al que todo el mundo conoce. El evangelista Mateo nos dice que eran dos (*Mateo* 20, 29). En el *Evangelio* de Marcos leemos que era uno y era hijo de Timeo (*Marcos* 10, 46). De ahí que, aceptando que fuera uno, lo llamemos Bartimeo.

Cada día llega andando despacio y a tientas, toma su lugar y pide limosna a los transeúntes.

—¡Una caridad, por Yavé! Yavé te lo recompense.

Él no puede hacer otra cosa que alargar su mano vacía de inútil pedigüeño. A él se le ha negado el gran don de la vista y no puede seguir camino más allá de la muralla por la planicie fértil y llegar a Jerusalén y ver la ciudad santa. No, no puede. Es un pobre discapacitado que vive en la oscuridad de una noche sin fin. Es ciego y tiene que quedarse forzosamente a la vera del camino. Y ni siquiera puede extasiarse contemplando la llanura que se extiende más allá de la muralla. Depende totalmente del buen corazón de los que pasan, de los que sí ven. De los que vienen y van, de los que pueden valerse por sí mismos, de los que hacen camino en la vida. Él, Bartimeo, hijo ciego de Timeo, no tiene más sitio en su limitada vida que una dura piedra donde se sienta a la vera del camino, a la salida de Jericó.

Y todos los aires de cada mañana y tarde, y todos los transeúntes, desde los chiquillos juguetones a los más viejos con cayado, se saben su monótona canción:

—¡Una limosna, por Yavé! ¡Ayude a un pobre ciego, por Yavé!

Él había oído hablar de Jesús de Nazaret. Toda la ciudad se conmocionaría cuando se dijera que iba a comer a casa de Zaqueo, el jefe de los publicanos, un muy mal visto recaudador de impuestos. La gente contaba muchas cosas maravillosas de aquel hijo del carpintero José de Nazaret: que era descendiente de David; que era el Mesías esperado; que en Cafarnaum había curado al hijo del Centurión sin siquiera tocarlo; que en Jerusalén había curado a diez leprosos con solo enviarlos al templo; que en Samaria le había adivinado a una mujer toda su vida con solo verla; que multiplicaba panes y peces en abundancia para dar de comer a miles; que resucitaba muertos; que lo seguía una docena de escogidos galileos; que predicaba que eran bienaventurados los pobres y los que sufren...

Bartimeo solo puede escuchar. Bartimeo no puede ver. Bartimeo está siempre con sus oídos muy abiertos y sus ojos inútiles a la vera del camino, junto a la muralla de Jericó, repitiendo incansable su monótona canción:

—¡Una limosna, por Yavé!

Hace rato que no pasa nadie. Y el último transeúnte tampoco le dio nada. Y él se entretiene con sus propios pensamientos en la oscuridad irremediable de su ceguera. Pero de repente, oye como un lejano rumor que se va haciendo oleada de voces. Y adivina que llega un gentío. Y un torrente humano cruza el portalón de la muralla. Y Bartimeo olvida su canción de siempre para preguntar, intrigado, a quien le quiera contestar:

—¿Qué ocurre? ¿Qué pasa? ¿Qué sucede? ¿Quién viene ahí?

—¡Es Jesús de Nazaret con sus discípulos! —le explica alguien al paso.

Y como si en sus adentros se hubiera disparado un resorte, sin pensarlo dos veces, grita a todo pulmón:

—¡Jesús, hijo de David, ten compasión de mí!

Algunos de la multitud, más próximos a él, le recriminan:

—¿Quieres callarte, por Dios, ciego mendigo?

—¡Ay, no grites, Bartimeo, por favor!

Pero él, cuando más quieren que se calle, más grita y con voz más alta:

—¡Jesús, hijo de David! ¡Ten compasión de mí!

Y Jesús oye sus gritos. Y se para en su camino. Y ordena:

—Traedme a ese hombre, por favor.

Corre la voz y llega a los oídos de Bartimeo, el ciego:

—¡Eeeh! Ánimo, levántate, apúrate, que Él te llama.

No lo podía creer. Estaba demasiado acostumbrado a que las personas se le acercaran a él, le tuvieran compasión y le pusieran unas monedas en la mano tendida. Alguien le insistía:

—¡Ándale, muévete! ¡El Maestro te llama!

Era más que raro que fuera él, que no veía, quien ahora tuviera que moverse.

—Jesús te llama —sonó insistente y claramente otra vez en sus oídos, fulgurando como un rayo de esperanza en la negrura de su oscuridad.

Arrojó su manto, "*de un salto se puso de pie*" (*Marcos* 10, 50) y guiado por los que urgían, llegó hasta Jesús.

Se hizo un silencio reverente y lleno de expectación. Él, sin ver, sentía la proximidad de aquel Jesús de Nazaret del que contaban tantas cosas maravillosas. Mentalmente le buscaba una respuesta —sin hallarla— a por qué lo había mandado a acercarse. Sintió que una mano como de amigo se le apoyaba en el hombro izquierdo. Aquel contacto le produjo una rara sensación. No tuvo ni tiempo de pensar cómo sería aquella mano cuando oyó:

—¿Qué quieres que haga por ti? Dime.

Todo en sus adentros le gritó que la mano y la voz eran de Jesús de Nazaret; que era el hijo de David; que era el Mesías prometido el que lo tocaba y le hablaba. No dudó un instante. Le salió la respuesta como una ansiedad reprimida y disparada por la esperanza:

—¡Maestro! ¡Que vea!

¡Oh, indudablemente el don de la vista sería la mayor riqueza que pudiera haber! Claro que sí. La mayor dádiva que pudiera recibir. Cómo no. Lo más maravilloso que pudiera imaginar. Sin duda alguna.

—¡Que vea, Señor, que vea! —se atrevió a repetir casi con lágrimas en aquellos sus ojos inútiles.

Sintió unos golpecitos suavemente afectuosos y afectuosamente suaves en su hombro, a la vez que sonaban en sus oídos unas palabras que le llegaban hasta el alma:

—Puedes irte. Tu fe te ha salvado.

Y en aquel momento sus ojos, inútiles desde siempre, comenzaron a funcionar. Entró la luz por sus pupilas muertas de repente resucitadas, y comenzó a ver.

Parpadeó nervioso y asombrado. Cielo, sol, colores, muralla, árboles, animales, personas, todo entraba de golpe por sus ojos húmedos de emoción.

Levantó las manos al aire. Abrió la boca desmesuradamente, cuanto pudo. Giró su cabeza a todos lados. No sabía qué hacer, si gritar, si llorar, si reír, si dejarse caer de rodillas, si echar a correr a brincos de puro gozo...

Jesús con los suyos seguía su camino por la llanura. Bartimeo no tuvo ni tiempo de darle las gracias. Pero cayó en la cuenta de que él, hijo de Timeo, ya no estaba —¡ni tenía que estar más!— a la vera del camino. Y contento y más que agradecido, echó a correr para seguir a Jesús.

Era como toda una fiesta cada momento de ver, cada instante de luz y color, cada imagen que le entraba por los ojos. ¡Qué maravilloso era todo! El cielo, el río, los campos, los árboles y palmeras, las personas, la gran capital. ¡Oh! ¡Jerusalén sobrepasaba todo cálculo y desbordaba la imaginación! Le habían hablado mucho de ella, sí, pero jamás había sospechado poder verla, contemplarla, extasiarse ante sus muros y pisar sus calles. ¡Qué majestuosa ella y sobre todo el templo! Podía ser, de veras, y era con razón, el orgullo de su pueblo.

Aquel día Jerusalén pareció vestirse de gala para recibir apoteósicamente a aquel Jesús que le había hecho a él el gran regalo de poder ver. También él, como un autómata, le dio un jalón a una rama de un olivo y se contagió de la euforia de la multitud, agitando su ramo y gritando contento hosannas donde ponía su más profunda gratitud. Se sentía como una gota de agua en aquel mar de entusiasmos y entre todo aquel gentío que aclamaba al que venía en el nombre del Señor.

Al cruzar la puerta dorada de la gran muralla, se le vino a la mente su lugar de siempre junto al portalón de su Jericó. El templo resultaba fascinante con sus pórticos, sus columnatas, sus mármoles. Fue testigo asombrado del arrebato de celo de Jesús, que de pronto comenzó a arrojar de allí a cuantos vendían y compraban, y derribó las mesas de los cambistas y los asientos de los vendedores de palomas, diciéndoles a gritos:

—Escrito está: mi casa será llamada casa de oración. Pero vosotros la habéis convertido en cueva de ladrones (Mateo 21, 12).

Aquel Jesús que tan generosamente le había hecho el regalo de la visión, que con tanta sencillez se dejaba aclamar mientras entraba montado sobre un pollino, que atraía al verlo y cautivaba al oírlo, demostró muy aparatosamente su disgusto por lo que el templo era, en lugar de lo que debía ser.

Con motivo de la fiesta de las fiestas, la Pascua, Jerusalén era un hervidero de gentes venidas de todas partes. Bartimeo se sentía como una gotita más en aquel mar de abigarrada muchedumbre que llenaba calles, plazas y el majestuoso Templo de Salomón. Llenó sus pupilas de imágenes inimaginables y levantaba cada dos por tres su mirada hacia el cielo para extasiarse en aquel nítido azul con alguna pincelada blanca, y en aquel sol y claridad esplendorosos que hacían brillar deslumbrante el oro del techo del *Sancta Sanctorum* del templo.

A los cuatro días vio como una riada de gente desembocaba en el "Gábata" o "Litóstrotos", la residencia del gobernador romano Pilatos en el ángulo noroccidental de la explanada del templo, en la Torre Antonia. Preguntó por lo que estaba sucediendo y alguien le contestó que iban a juzgar a Jesús de Nazaret. Entonces sintió como una punzada en su corazón.

—¿Juzgar? —se preguntaba en silencio— ¿A Jesús de Nazaret? ¿Pero por qué? ¿Qué mal ha hecho él?

Una muralla humana le impedía adelantarse. Ansioso y forcejeando, fue abriéndose paso poco a poco unos metros más, mientras la muchedumbre gritaba:

—¡Fuera, fuera! ¡Crucifícalo, crucifícalo!

No podía comprender cómo ni por qué los hosannas de cuatro días atrás se habían convertido en gritos de muerte. Siguió forcejeando entre la abigarrada multitud y se acercó un poco más. Ya podía ver y oír mejor. En aquel momento Pilatos, con un ademán ampuloso de su mano derecha y señalando a Jesús, le decía a la multitud:

—*Ecce homo.*

He aquí el hombre.

Pero Jesús estaba desfigurado. Tenía el cuerpo destrozado. Le habían puesto una corona de espinas, un manto rojo y una caña por cetro, como rey de burlas. Chorreaba sangre por todas partes de su cuerpo horrorosamente maltratado.

La muchedumbre, en vez de compadecerse, se encrespó más pidiendo a gritos su muerte:

—¡Crucifícalo!

Bartimeo finalmente pudo llegar a la primera fila. Levantó sus brazos cuanto pudo y le gritó a Jesús:

—¡Señor! ¿Para ver esto me diste la vista? ¡Mejor hazme ciego otra vez!

Y Jesús sintió como si le hubieran puesto una gotita de dulzor en su cáliz de amargura.

Capítulo XV

Pedro y sus errores

Entonces Pedro le dijo:
—Aunque todos tropiecen y caigan, yo no.
Jesús le contestó: —Te aseguro que hoy, esta misma noche,
antes de que el gallo cante dos veces,
tú me habrás negado tres veces.
Pero él insistía: —Aunque tenga que morir contigo,
no te negaré
—Marcos 14, 29-31

Yo confieso ante Dios todopoderoso y ante vosotros, hermanos... que estuve tentado de titular esta contemplación "Pedro y sus pecados" o "Pedro y sus negaciones". Pero pensándolo mejor, preferí "errores" a "pecados" y a "negaciones", por todo aquello del pleno conocimiento y total libertad de que hablan los sabios en Teología Moral como condiciones imprescindibles para todo pecado.

Por el *Evangelio* de Mateo, Capítulo 16, versículo 17, y por el de Juan, Capítulo 1, versículo 42, sabemos que Pedro era hijo de Juan —"Bar-Jona"— y nacido en Betsaida junto al lago de

Genesaret. Igualmente, por ellos sabemos que tenía un hermano llamado Andrés y que ambos se dedicaban a la pesca. Nos consta asimismo que estaba casado y que Jesús sanó a su suegra en su casa de Cafarnaum.

Mateo, en su Capítulo 16, refleja una faceta característica de Pedro: tomar la palabra y hablar por todos los demás en respuesta a la pregunta de Jesús:

—¿Quién dice la gente que soy yo? ¿Y vosotros quién decís que soy?

—Tú eres el Cristo, el Hijo de Dios vivo —contesta, espontáneo y decidido, Pedro por todos.

—Bienaventurado eres, Simón Bar-Jona —le dice Jesús— porque eso no te lo reveló la carne ni la sangre, sino mi Padre que está en los cielos. Y ahora yo te digo: tú eres Pedro, o sea "piedra", y sobre esta piedra edificaré mi Iglesia y los poderes del infierno no podrán contra ella.

Testigo de mil y una maravillas, Pedro se va reafirmando en su fe en Jesús Hijo de Dios. En la cena de la última Pascua, y ante el anuncio bien claro de lo que va a suceder aquella noche, Pedro alardea de fidelidad y de seguridad: "Aunque todos tropiecen y caigan, yo no".

Pero lo que le dice, a Jesús no le parece en absoluto adecuado. Y le trae a la memoria algo peor que le dijo cuando no hacía mucho había anunciado su injusta condenación a muerte y Pedro había protestado:

—¡Dios te libre, Señor! No, no pueden sucederte estas cosas.

A lo que le replicó Jesús:

—¡Apártate, Satanás! Tú me harías tropezar. Tus pensamientos no son los pensamientos de Dios.

"¡Ah, caramba!", se quedaría pensando Pedro entonces.

"Pues, ¿qué dije yo? ¡Me llamó Satanás! Yo no más di mi parecer... ¿Por qué me llamaría así, tan feo, nada menos que Satanás?".

Más de una noche, mientras le llegaba el sueño, le llegaría también el eco de aquel regaño. Y también, ya bien despierto, le volvería a la mente aquello de "tus pensamientos no son los pensamientos de Dios". A solas tenía que reconocer la verdad y darle toda la razón al Maestro: era todo un error pensar como pensaba.

Allí, en la última cena, alardear de valiente había sido otro error. Y a la hora del prendimiento, en el huerto de Getsemaní, querer arreglar aquella desagradable situación a machetazos hasta casi partirle la cabeza a un soldado, fue otro gravísimo error. Era mayor la oscuridad de su mente que la oscuridad de aquella noche de la traición. De todas maneras, se habían llevado al Maestro y a Pedro le faltaba todavía mucho que aprender para ser un buen alumno.

Sin embargo, en el palacio de Anás cometería su error más grave. Allí, junto a la hoguera del patio donde se calienta la servidumbre, profiere él su triple negación: *"No sé de qué me hablas..."*. *"Yo no conozco a ese nazareno..."*. *"Juro que no sé quién es él..."*. Y el canto del gallo hace despertar su conciencia acurrucada entre las sombras del miedo. Y se da cuenta del triple y enorme error que acaba de cometer.

Triple y enorme error, sí. Pero sin pizca de mala voluntad. Sin haber podido, ni remotamente, prever qué pasaría al meterse entre aquella gente, en aquella hora y en aquel lugar. Todo era el resultado de una evidente cobardía. Y ser cobarde siempre avergüenza. Y Pedro, más que avergonzado, sale a la calle a llorar rabiosamente por su cobardía y sus negaciones, que más que pecado han sido grandísimos errores.

Pese a dolerle su cobardía, seguirá dejándose ganar por ella. Por eso no lo vemos por ninguna parte cuando llevan a Jesús al lugar de la crucifixión. Allá arriba, en el Calvario, Juan sí acompaña a la madre dolorosa y valiente. Pero de Pedro —y de los demás apóstoles—, ni rastro.

Cuando llega Magdalena a comunicar su sorpresa porque el sepulcro está vacío, Pedro junto con Juan será el primero en cerciorarse de ello. Y cuando comienza Jesús a aparecerse en medio de todos, aun con las puertas bien cerradas, sin duda alguna se disipan todos los miedos y los embarga una grandísima alegría. Y más a Pedro en particular. Y así y todo hará falta que sople el Espíritu como vendaval para ahuyentar de una vez para siempre todos los miedos e iluminar el entendimiento con la mejor sabiduría del saber qué hacer.

La tercera aparición de Jesús resucitado en la orilla del lago Tiberíades es de las más significativas. Saca a Pedro de las tinieblas de aquella mala noche oscura, cuando la triple negación, a la luz abierta de un nuevo día y el brillo de las aguas de aquel lago que, de tan grande, lo llaman también mar, para pedirle una triple declaración de amor.

Nadie ha dicho jamás que Pedro fuera un gran nadador. Pero allí se nos muestra como el campeón de los cien metros libres; porque cuando Juan le dice que el que hablaba desde la orilla era Jesús, Pedro se echa al agua para llegar a Él antes que la barca. Y con el sabroso desayuno de pan y pescado asado, tiene lugar la triple reparación de su triple negación. Sin duda alguna la primera pregunta: "Simón, ¿me amas más que estos?" debió sonar a un verdadero halago en los oídos de Pedro. Pero no tanto la segunda, y mucho menos la tercera.

Es muy cierto que, en el caminar de la vida, nadie puede poner la marcha atrás. Lo que pasó en el pasado, en el pasado se queda. Pero unas lágrimas de auténtico arrepentimiento pueden efectivamente borrar la huella del mal paso. Y la reafirmación de nuestra mejor buena voluntad puede valer mucho más que todos nuestros tropiezos. Con la triple profesión de amor a cielo abierto, con el lago de Genesaret por testigo, quedaba definitivamente atrás el error de la triple negación.

Así y todo, ya constituido y en función de cabeza de la Iglesia, cometerá nuevos errores; y alguno provocará un serio enfrentamiento por no pensar igual o no tener el mismo parecer. El principal tropiezo será la ruptura de la mentalidad judía y la apertura de la predicación del Evangelio también a los paganos.

Y no faltará un último error cuando, ya en la capital del imperio y viendo que Nerón quiere divertirse con la muerte de los cristianos, Pedro siente la tentación de huir y consiente en escaparse de la ciudad en busca de su propia seguridad.

En Roma uno puede ver la capillita llamada del *Quo vadis* levantada sobre el lugar donde se supone que ocurrió el encuentro de Pedro que se va, con el Señor Jesús que viene. Más que sorprendido, al ver al Maestro frente a sí y caminando en dirección contraria, Pedro pregunta en latín, el lenguaje del Imperio:

—*Quo vadis, Domine?*

¿A dónde vas, Señor?

Dicen que le contestó Jesús:

—A Roma, a que me crucifiquen de nuevo.

Pedro parpadearía de asombro por un momento y, al volver a abrir los ojos, Jesús ya había desaparecido. Pero la lección era tan clara que no necesitaba ninguna explicación. Pedro cae en la cuenta de su último error y, antes de acabar de cometerlo, se da la vuelta para dejarse crucificar el 29 de junio, el mismo día en que a Pablo le cortan la cabeza. Y es tan consciente de sus errores, y se siente tan avergonzado de ellos, que como último deseo del condenado a morir pide el gran favor de que, por sentirse indigno de morir como el Maestro, le planten la cruz cabeza abajo. Y así murió.

Pese a todos los errores, los pasados, los presentes y los futuros de todos los Pedros en sucesión, sigue en pie la voluntad de Jesús: "Y sobre esta piedra edificaré mi Iglesia. Y las puertas del infierno no prevalecerán contra ella".

Capítulo XVI

Cuarto domingo de la Pascua de 2004

(Homilía publicada en el periódico *La Opinión* de Los Ángeles,
el 2 de mayo de 2004)

Mis ovejas escuchan mi voz…
—Juan 10, 27

Antes que nada, hagamos —al mejor estilo ignaciano— composición de lugar. Con nuestra maravillosa capacidad de imaginación, retrocedamos en el tiempo casi dos mil años y situémonos en el espacio del Templo de Salomón, la gran joya arquitectónica orgullo de Jerusalén, la capital del Israel y de todos los judíos. Es la semana de la fiesta de los Tabernáculos, así llamada porque la gente acampa en tiendas —tabernáculos—, que venía a ser algo así como nuestro Día de Acción de Gracias, salvada la gran diferencia de que entonces y allá duraba siete días.

Jesús no quería volver a Judea porque los judíos estaban decididos a acabar con Él (Juan 7, 1). Solamente después de que sus parientes subieron a Jerusalén para la fiesta, fue Él también, pero tratando de que no lo supiera la gente

(*Juan*, 10). *A mediados de la semana de la fiesta, Jesús subió al templo y se puso a enseñar* (*Juan* 7, 14). *El último día, el más solemne de la fiesta, Jesús, de pie, decía a toda voz: —Si alguien tiene sed, venga a mí y beba...* (*Juan* 7, 37).

Después sucedió algo sorprendente y maravilloso. "*Los maestros de la Ley y los fariseos le trajeron una mujer que había sido sorprendida en adulterio*" (*Juan* 6, 2). Y ya sabemos cuál fue la sorpresa y la maravilla. Dijo San Agustín al respecto que quedaron solos la miseria y la misericordia. Jesús perdonó a la pecadora.

Más sorprendente y más maravilloso fue lo que hizo después con el ciego de nacimiento. "Yo soy la luz del mundo", había dicho. Y con un poco de su saliva y del polvo del suelo hizo barro y con él untó los ojos del ciego, mandándolo a que fuera a lavarse a la piscina de Siloé. El ciego, a tientas lógicamente, fue, llegó, se lavó y... ¡recobró la vista! ¡Menudo relajo se armó! Y es que para colmo la curación había sido hecha en sábado. Las idas y venidas, los dimes y diretes, las preguntas y respuestas, la inquisición y las explicaciones, finalmente acaban echando los fariseos al ciego —ya no ciego— de su presencia.

Jesús supo que lo habían expulsado y al encontrarlo le dijo: —¿Crees tú en el Hijo del Hombre?

Este le contestó: —¿Quién es, Señor, para que crea en él?

Jesús le dijo: —Tú lo estás viendo. Soy yo, el que habla contigo.

Él le dijo: —Creo, Señor —y se arrodilló ante Él. Jesús le dijo:

—He venido a este mundo para iniciar una crisis: los que no ven verán y los que ven van a quedar ciegos.

Algunos fariseos estaban al lado de Jesús y le dijeron: —¿Acaso nosotros somos ciegos? (*Juan* 9, 35-40).

Y es entonces cuando Él les contesta con la amplia y sencilla, pero muy comprensible comparación con un quehacer muy común: el pastor, el redil, el rebaño y las ovejas. Él se hace puerta del redil. Afirma ser el buen Pastor. *"Yo conozco las mías y las mías me conocen a mí. Tengo otras ovejas que no son de mi redil. A esas también las llamaré y oirán mi voz. Y habrá un solo rebaño bajo un solo Pastor"* (*Juan* 10, 14-18).

Algunos judíos creían en Él. Otros decían que estaba endemoniado. Así pasaron unos meses y cuando se celebraba la fiesta de la Dedicación del Templo, unos incrédulos volvieron a la carga.

—¿Hasta cuándo nos tienes en suspenso? Si eres el Cristo dilo claramente.

Jesús les respondió: —Ya os lo he dicho pero vosotros no queréis creer. Las obras que yo hago en nombre de mi Padre declaran quién soy yo. Pero vosotros no creéis porque no sois de mis ovejas. Mis ovejas conocen mi voz y yo las conozco a ellas..." (*Juan* 10, 24-28).

Y de que Él conoce las ovejas habidas y por haber, incluidos tú y yo, no cabe la menor duda. Tratándose de sacarle jugo, digo mejor, de sacarle provecho a la consideración, entonces ahí va la pregunta del millón: ¿Conozco yo su voz? ¿Escucho yo su voz? ¿Atiendo yo su voz? ¿Entiendo yo su voz? ¿Sigo yo su voz? Desde luego, a cada interrogante habrá que darle más tiempo que el que lleva leerlo.

Es fácil decir que es su voz, que es Él quien habla, que Jesús dijo, que Jesús dice, que Jesús diría. Hoy, a través de los grandes medios como son la prensa, la radio y la televisión, abundan los predicadores que dan mil y una explicaciones —algunas, por cierto, bien torcidas y retorcidas— de todo lo que dijo Él. Pero su voz no hay que fundirla, y menos confundirla, con la del predicador en turno.

Si yo voy trotando alocado y perdiéndome por mis cerros y valles...

Si yo me largo del redil pirueteando a mis antojos...

Si yo me paso el día —¡es un decir!— con los audífonos pegados a mis orejas para ensordecerme con los ruidajos a los que muchos llaman música...

Si mis prioridades personales son siempre la dispersión y nunca la concentración...

Si no me acerco a Él siquiera una vez a la semana para oírlo mejor...

Si aunque tengo la *Biblia* en casa, casi nunca la abro para leerla...

Si aunque Él venga a mí en esa intimidad única de la sagrada comunión, yo dejo volar tontamente mis pensamientos...

Entonces yo seré de los que NO conocen su voz, de los que NO escuchan su voz, de los que NO atienden su voz, de los que NO entienden su voz, de los que NO siguen su voz...

Y, en consecuencia, tarde o temprano me voy a sentir perdido. Y no quiero perderme, por supuesto.

Decidido: hoy voy a leer, muy despacio, el Salmo 94 (95): *"Si hoy escucháis su voz no endurezcáis el corazón..."*.

Capítulo XVII

Domingo XVIII del tiempo ordinario

(Homilía publicada en *La Opinión* el domingo
1.º de agosto de 2004)

Evitad toda clase de avaricia.
—*Lucas 12, 14*

Para empezar, me voy a permitir un recuerdo de mi infancia. Soy nacido en España, en un pueblito de campesinos tan pequeño que, para obtener cualquier medicina, teníamos que ir al pueblito vecino, un tantito mayor, donde había farmacia. En aquel pueblito tantito mayor vivía un hombre con media docena de hijos al que todo el mundo conocía y llamaba el Hojalatero, porque igual remendaba el mango de una sartén que componía un paraguas. Trabajaba en la planta baja de su casa donde había un lagar.

En el piso, con losas de piedra, destacaba una con anilla de hierro que cerraba el lagar. Por un lado de la losa tapadera quedaba una ranura suficiente para tragarse una moneda. Pues del Hojalatero la gente decía que echaba el pago de sus trabajos en el lagar por aquella ranura con la codiciosa pretensión de abrirlo solamente cuando estuviera lleno de monedas. Y no le importaba un chile que sus hijos anduvieran descalzos y zarrapastrosos y no tuvieran qué comer.

Cuando el Hojalatero murió, la familia abrió la losa del lagar y efectivamente se encontró con una montaña de monedas de cobre que sumaban una buena cantidad de pesetas que fueron un buen alivio a su pobreza.

Era un hombre esclavo de la avaricia. Era un avaro. A él no le sirvió absolutamente de nada todo el dinero guardado, como tampoco las buenas cosechas al hombre del Evangelio de hoy.

Para entendernos mejor veamos qué dice el diccionario sobre la palabra "avaricia": *afán desordenado de poseer y adquirir riquezas para atesorarlas.* Y nos sugiere como palabra sinónima —de diferente escritura pero igual significado— la "codicia": *apetito desordenado de riquezas.*

El gran sabio Santo Tomás de Aquino nos pone la avaricia en el segundo lugar de lo que él llama "pecados capitales": el primero, la soberbia; el segundo, la avaricia; el tercero, la lujuria; el cuarto, la ira; el quinto, la gula; el sexto, la envidia; y el séptimo, la pereza. Y los llama así, capitales, porque en ellos viven todos los demás.

Si lo consideramos bien, todos somos sujetos pasivos de tales fuerzas del Mal. En otras palabras, a todos nos pone el Diablo alguna vez una de esas serias zancadillas. En lugar de los graneros del cuento del Evangelio o del lagar del hojalatero del pueblito de mi infancia, pongamos, por un decir, nuestra cuenta bancaria.

Conste que el Señor Jesús no menciona el ahorro ni condena la riqueza. Está clarísimo que nos pide "evitad toda clase de avaricia". Y es que se puede ser avaro en muchos otros aspectos además del dinero. Incluso se puede ser avaro en el amor. Sí señor. En mis primeros pasos para ser religioso escolapio, un día me hizo pensar mucho al respecto el avaricioso aprecio que le tenía un venerable padre a una simple pluma estilográfica de su escritorio. Se puede ser avaro incluso en la pobreza y en la miseria.

Dice San Pablo que al Mal hay que ganarle con el Bien. Por eso para luchar contra los siete pecados capitales tenemos las siete virtudes opuestas: contra soberbia, humildad; contra avaricia, generosidad; contra lujuria, castidad; contra ira, paciencia; contra gula; templanza o sobriedad; contra envidia, caridad; contra pereza —mi padre solía decirnos que contra pereza, un buen garrote—, diligencia.

Creo que todos hemos visto cómo se agarran algunos de los monos más tontos de la selva: se les pone unos cacahuates en el hueco del tronco del árbol y ellos van, meten fácilmente la mano vacía, agarran cuantos cacahuates pueden en su buen puñado y entonces no hay manera de sacar la mano, y estúpidamente se dejan atrapar. Nuestros cacahuates se llaman dólares. Cuantos más tenemos, más gastamos. Cuanto más gastamos, más queremos tener. No tiene nada de malo que tengamos cuanto más podamos. Lo malo estará en que el Diablo nos atrape estúpidamente en nuestro afán desordenado de tener más y más y más… sin ni siquiera ocurrírsenos aflojar la mano para poder tener el gusto mucho mejor que el de mi autocomplacencia, como puede ser el agradecimiento del favorecido por mi generosidad.

Si lo bueno contrario del mal de la avaricia es la generosidad, ya sé lo que me toca hacer: ser generoso. Y es generoso el que tiene y gasta generosidad. Y la generosidad es una inclinación del ánimo a anteponer el decoro a la utilidad y al interés.

La avaricia crea enemigos y resentidos. La generosidad genera amigos y agradecidos. Con la avaricia nos merecemos el desprecio eterno. Con la generosidad nos estamos comprando el boleto de entrada al Reino de los Cielos. Escoge: ¿quieres ser un avaro o quieres ser un generoso?

Capítulo XVIII

Yo soy el buen pastor

Se dice de chiste que una pareja de turistas andariegos, caminado por los montes Pirineos que separan España de Francia, se encuentran con un gran rebaño de ovejas y se acercan a entablar conversación con el pastor que tiene a su lado a su admirable compañero de trabajo, el muy inteligente perro mastín.

—Buenos días, buen hombre.

—Muy buenos días, sí señores.

—¿Qué? ¿ Se portan bien las ovejas?

—¿Cuáles? ¿Las blancas o las negras?

—Digamos las blancas que son las más.

—¡Oh!, sííí... Sí, muy bien, muy bien.

—¿Y las negras?

—También, también.

—¿Y pacen y comen todo el día?

—¿Cuáles? ¿Las blancas o las negras?

—Pues digamos también las blancas.

—¡Oh!, sí... Sí, todo el día, todo el día.

—¿Y las negras?

—También, también.

—Oiga... Y si puede saberse, ¿gana buen dinero con ellas?

—¿Con cuáles? ¿Las blancas o las negras?

—Las blancas, las blancas.

—¡Oh!, sí... Sí, se gana buen dinero.

—¿Y con las negras?

—También, también.

La pareja ya estaba más que desconcertada de que a todas sus preguntas el pastor contestara siempre preguntando a su vez: "¿Cuáles? ¿Las blancas o las negras?". Así que deciden salir de dudas y le disparan:

—Oiga usted, buen hombre, ¿cómo es que a todas nuestras preguntas nos contesta usted con la misma cancioncita: "¿Cuáles? ¿Las blancas o las negras?".

A lo que el pastor medio sonriendo les responde:

—¡Oooh...! Es que las blancas son mías.

—¡Aaah...! ¿Y las negras?

—¡También, también!

Bromas aparte, el pastoreo se remonta a los más lejanos tiempos de la humanidad. Y se me hace que muchos de nosotros en el presente hemos visto con nuestros propios ojos algún rebaño y su pastor. Quien tiene la suerte de peregrinar al Israel de hoy, el mismo de ayer, que con razón los cristianos llamamos Tierra Santa, todavía puede ver rebaños con su pastor y tiendas de beduinos y rediles construidos con estacas.

Jesús, "el hijo del carpintero", y José no eran pastores ni tenían ovejas. Pero al caminar cada año, por lo menos para la Pascua, desde el norte donde está Nazaret hacia el sur donde está la capital Jerusalén, debió ser la mejor oportunidad para encontrarse con rebaños de ovejas y sus pastores.

En los tiempos más espléndidos de los ricos faraones de Egipto, a donde unos milenios atrás habían emigrado muchos habitantes de Israel y el mismo al que José, con su esposa María y el hijo recién nacido, habían huido por miedo a Herodes, los egipcios ya habían exaltado en asombrosas esculturas la figura del pastor con su oveja en los hombros.

Es muy comprensible que Jesús, para hablar a la gente, usara la analogía del rebaño, de las ovejas, del redil y del pastor. Y precisamente lo hace cuando, a razón de haber curado al ciego de nacimiento con un poco de barro hecho con su saliva y aplicándoselo a los ojos inútiles, lo manda a limpiarse con el agua de la piscina de Siloé. ¡Menudo relajo se armó por ello entre los fariseos! Al pobre y feliz sanado lo marearon con toda clase de preguntas. Sus padres esquivaron muy diplomáticamente la discusión con la célebre respuesta de "Preguntadle a él". (*Aetatem habet*), ya tiene edad para contestar por su cuenta.

Y es como final de la discusión, contestando a los fariseos, que le preguntan a Jesús: "¿Somos también nosotros ciegos?". Es entonces, digo, cuando Jesús les contesta que "quien no entra por la puerta en el redil de las ovejas, es ladrón y salteador". Y agrega con claridad: "Yo soy el buen Pastor. El buen Pastor arriesga su vida por las ovejas".

En el invierno siguiente y de nuevo en la capital, con motivo de la fiesta de la Dedicación, volverá a enfrentarse con los fariseos que le piden: "Si tú eres el Cristo, dínoslo claramente". Ante lo cual Él les echa en cara: *"Vosotros no creéis porque no sois ovejas mías. Mis ovejas escuchan mi voz"* (*Juan* 10, 26).

Y bien sabemos que Jesús se hace cordero de Dios que quita el pecado del mundo muriendo en la cruz y resucitando glorioso. Ya no cabía duda: había vencido a la muerte.

A puerta cerrada se apareció a los doce un par de veces en Jerusalén, convenciendo al mismísimo incrédulo Tomás. La tercera vez en que se les aparece es, pasados unos días, cuando los apóstoles están faenando de nuevo en el lago de Genesaret, aquella vez sin pescar absolutamente nada.

Ya regresaban cansados y decepcionados y allí está Él esperándolos en la orilla. Y desde allí les grita que si traen peces. Ante la negativa, les dice que echen la red a la derecha y encontrarán. Efectivamente: se llena la red. Y Juan —que es quien nos lo cuenta— le dice a Pedro:

—¡Es el Señooor!

Pedro se convierte de repente en un campeón de natación que se traga los cien metros en un suspiro.

Ya todos en la orilla, y después de comer de la pesca milagrosa, Jesús se dirige a Pedro y le pide la triple confesión de amor como la mejor penitencia por su triple negación anterior. A cada respuesta de Pedro —"Sí, Señor, Tú sabes que te amo"—, Jesús le pide *"apacienta mis corderos"*, *"apacienta mis ovejas"* (*Juan* 21, 15). Claramente se entiende que lo constituye Pastor Supremo de todo su rebaño de creyentes en Él.

Pedro es quien toma la palabra después de que el Espíritu Santo transforma a los doce —ya sustituido Judas por Matías—, y son como unos tres mil los conversos por su primer sermón. Pedro llegará hasta la capital del Imperio y en Roma morirá crucificado, pero cabeza abajo, porque no se siente digno de morir como su Maestro y Señor. Sobre su tumba se alza la actual gran basílica que toma su nombre y se conoce como el Vaticano.

A Pedro le sucede Lino. Y a cada sucesor hasta el presente, el número doscientos sesenta y seis, Benedicto XVI, se lo conoce como el Pastor Supremo del gran rebaño del Señor Jesús, llamado Iglesia Católica o Universal.

Al obispo de Roma, al sucesor de Pedro, al pastor de toda la Iglesia, a partir del año 1073 y por orden de Gregorio VII, se le reserva el nombre de Papa: son las iniciales de Pedro, Apóstol, Pontífice y Augusto. El Papa confía parte del rebaño a otros pastores consagrados por él, los llamados obispos. Esa parte del rebaño se llama diócesis. A algunos obispos el Papa los honra con la dignidad del cardenalato. Son los privilegiados que se reunirán a puerta cerrada —eso quiere decir "cónclave"— para elegir al nuevo Papa. A otros obispos les concede cierta preeminencia sobre los más próximos a su alrededor y les concede el título de arzobispos. Entonces su sede es arzobispado y su diócesis es archidiócesis o arquidiócesis. Las diócesis de su alrededor o asignadas son sufragáneas o dependientes de la archidiócesis o del arzobispo. El obispo es, en efecto, el pastor del rebaño de todas las ovejas de la diócesis. Pero para atenderlas mejor, ordena y consagra a los presbíteros o sacerdortes, a quienes confía una parte de su rebaño que llamamos parroquia, con unos límites determinados sobre la geografía urbana. El sacerdote a quien se le confía una parroquia es también, con toda razón, el pastor que en otras partes del mundo se llama señor cura o párroco o reverendo y, en Cataluña, mosén.

Así se ha venido estructurando el cada día mayor rebaño de las ovejas del Buen Pastor Supremo, nuestro Señor Jesús. Nos habíamos quedado sin Pastor Máximo con la muerte del extraordinario Papa Juan Pablo II. Pero repicaron las campanas de San Pedro del Vaticano mientras salía el humo blanco como señal de que los cardenales habían escrito el mismo nombre, el del cardenal Joseph Ratzinger, en sus papeletas para rebasar en el segundo día las dos terceras partes de los votos.

Hoy, como nunca, se necesitan pastores. Persiste la escasez de vocaciones de sacerdocio. Se han quedado vacíos los seminarios de antaño que albergaban cientos de jóvenes aspirantes a ser consagrados por el pastor de la diócesis, el obispo correspondiente. Pero donde ha de brotar y cultivarse la semillita de la vocación sacerdotal es, sin duda alguna, en el hogar. Pensar en soluciones utópicas como la renuncia al celibato o la aceptación de mujeres en el sacerdocio es perder el tiempo. Si más razones no hubiera para creerlo una utopía, el solo grandísimo peso de la tradición hace que resulte imposible tirarlas por la borda de la barca de Pedro.

> *Jesús recorría ciudades y aldeas, enseñando en sus sinagogas, predicando el Evangelio del Reino y curando todas las enfermedades y dolencias. Y viendo a las muchedumbres, se apiadó de ellas, porque estaban cansadas y decaídas como ovejas sin pastor.*
>
> *Entonces dijo a sus discípulos: —La mies es mucha y los obreros pocos. Rogad, pues, al Dueño de la mies que envíe obreros a sus mies (Mateo 9, 35).*

Capítulo XIX

Domingo XII del tiempo ordinario

El don de Dios supera con mucho al delito.
—*Romanos 5, 15*

Hay que ver hoy, hermanos, con los medios de que disponemos, cómo insiste un productor o una empresa o un vendedor en clavarnos en la mente la idea de lo que trata de propagar o vender. A lo mejor alguno de ustedes también alguna vez ha hecho bola y se ha sumado a una manifestación o se ha unido al grito incansable de: "¡Sí, se puede!". O tal vez: "¡Viva el América!". O: "¡Arriba los Dogers!". Yo me admiro por la manera como algunos gastan miles de dólares por un anuncio en la televisión que cobra por lo menos mil dólares por cada segundo. El tiempo de decir uno, mil dólares; dos, dos mil dólares; y así hasta treinta, medio minuto, que son treinta mil dólares. Y una y otra y otra vez, treinta, sesenta, noventa, ciento veinte mil dólares que al fin de cuentas, quien los paga es el que compra.

Se cuenta —yo no sé si es cierto o no— que la empresa Coca Cola hizo el experimento de poner un fotograma con su nombre cada veinticuatro de los que pasan por segundo por la ventanilla

119

de un proyector de cine. El ojo humano no es capaz de distinguir con claridad la imagen de un solo cuadro o fotograma. Pero parece ser que el subconsciente sí lo capta, ya que el resultado del experimento fue que, en el descanso de la sesión, más del cincuenta por ciento del público pidió coca cola en el bar.

El Señor Jesús, a la distancia de los milenios, ya sabía muy bien que con la repetición e insistencia de una idea, esta se quedaba más arraigada en la mente de los que la escuchaban y tenían la fortuna de oírla. Digo todo esto porque en el *Evangelio* de hoy la frase más repetida es "No teman". No teman a los hombres. No teman a los que matan el cuerpo. No teman porque ustedes valen mucho más que todos los pájaros de todo el mundo…

El temor, precisamente es un don de los siete del Espíritu Santo: el primero es sabiduría; el segundo, entendimiento; el tercero, ciencia; el cuarto, consejo; el quinto, fortaleza; el sexto, piedad; y el séptimo, temor de Dios.

El temor es como una especie de miedo suave de disgustar al Amo y Señor. Una faceta, un destello, un aspecto de la gran joya que es el amor. Si es exagerado y nos lleva al horror, entonces en vez de ser don del Espíritu Santo, es arma del Demonio.

Si todos tenemos bien contados hasta los cabellos de nuestra cabeza —por supuesto, es un decir, pero a la vez es la realidad de la dependencia total del que nos hizo a su imagen y semejanza—, de veras no hay por qué temer, calentándonos la cabeza con las posibilidades de lo que pueda ocurrirnos. Y eso, al igual, en las peores circunstancias.

En la guerra civil que se desarrolló desde 1936 hasta 1939 en mi tierra, España, dicen que en mi pueblito natal un cabecilla de los llamados "rojos", mientras agonizaba gritaba desesperado:

—¡Estoy condenado! ¡No quiero ir al infierno!

Hasta que un hermano monje benedictino llegó para ayudarlo a bien morir.

Las palabras de San Pablo habrán servido muchas veces más para calmar ansiedades: "El don de Dios supera con mucho al delito".

En consecuencia, aunque me supiera el más vil de todos los hijos de Adán, no debo dejarme ganar por el temor que, si crece imparable, puede llegar al horror; y he de creer firmemente que, donde abundó el delito, sobreabundó muchísimo más la misericordia.

Con la feliz coincidencia de celebrar el día del Padre, no podemos olvidar que Dios es el Padre de padres, el Padre nuestro que está en los cielos y manda a hacer más fiesta por un pecador que se convierte o arrepiente que por los noventa y nueve justos que no necesitaban perdón.

El temor es parte del amor, sí señor. Los hijos lo han de tener respecto de sus padres. Y los esposos han de tenerlo mutuamente. Y todos lo hemos de tener de Dios, Amo y Señor.

Cuando un hijo se aleja de alguna manera de los padres, incluso sin abandonar la casa, siempre hay un camino de vuelta para estrenar.

Y como dijo el poeta, solo se hace camino al andarlo.

Capítulo XX
Balada del cañaveral

Como Jesús sabía que ya todo se había cumplido
y para que se cumpliera la Escritura dijo: —Tengo sed.
Había allí un jarro lleno de vino agridulce.
Pusieron en una caña una esponja llena de esta bebida
y la acercaron a sus labios.
Cuando hubo probado el vino Jesús dijo:
—Todo está cumplido.
—Juan 19, 29

El Cedrón era un torrente que huía del Monte de los Olivos y pasaba cosquilleando los pies de Jerusalén. Inocente, con transparencias como de cristal, y manso, con rizos de espuma como lana, jugueteaba retozando de día con los guijarros que le atajaban el curso y de noche con los luceros que se abrevaban en él. A la altura del camino de Betania enhebraba su hilillo de plata por entre un cañaveral indiferente.

Pocos días atrás unas estridencias de clamores y entusiasmos le habían roto la alegre canción cascabelera de sus aguas juguetonas cuando pasaba Jesús con un cortejo desbordado de hosannas, camino de la Pascua.

La multitud con las palmas semejaba un trigal agitado añorando sol. Unos rapaces, como angelillos traviesos que escondieron las alas, gritaban vivas al que venía en el nombre del Señor. El Cedrón se estremeció de gozo incomprensible. Dio un beso furtivo a los pies del jumento. Prendió unas perlas en la túnica del Maestro y siguió más aprisa y alegre a contárselo todo al mar.

Las cañas se quedaron cautivas en la orilla soñolienta, moviendo al aire sus hojas desmayadas como un adiós entristecido. Todos pensaron en las palmeras, sicomoros y olivos. Pero nadie se acordó del cañaveral. Él no pudo acompañar al Mesías en aquella apoteosis hacia el templo y ya no quiso jugar más a flautas con el viento de la tarde.

Ayer sintió un miedo raro en la oscuridad fantasmagórica de aquella noche de Nisán. Pasó una turba chisporroteando rabia y llevando prendido a Jesús. Lanzas, espadas, cuchillos, como insultos en alto en que se habían trocado las palmas de la entrada triunfal. Alguien que llevaba el puño vacío se armó de una caña venciendo resistencias de la temerosa raíz.

El Cedrón reflejaba palideces de luna asombrada. El cañaveral, tembloroso, quedó llorando amarguras presentidas y el agua mimosa quiso consolarlo con caricias de hermana.

Pero allá, en el palacio de Caifás, la chusma soldadesca se servía de la caña para escarnecer al Nazareno. Y la caña lloraba en secreto su destino de malicias con lágrimas tan ardientes que corrían confundidas con la sangre de Jesús. La guardaron junto a un frasco de vinagre para el último tormento, allá arriba en el Calvario. Sus hermanas del torrente, adivinando maldades, rezaban con acento de pena su plegaria de ausencia.

Una sombra entre las sombras cruzó el torrente enturbiando el agua. Siguió el camino de Betania cuesta arriba. Se internó en un olivar. Era Judas desesperado. El cañaveral lo reconoció porque el traidor era más negro que la noche.

Un olivo inmóvil, aterrorizado, sintió ahogarse por una cuerda que le ataban. Judas quiso ser el péndulo del reloj de la Pasión. Y el árbol, inocente y amigo del agua y de las cañas, no quiso aguantar aquella piltrafa de apóstol. Y la rama, con un lúgubre quejido, se rompió.

El Cedrón no quiso ensuciarse tampoco con la sangre del Iscariote y fue corriendo a escupirla al mar. Y consolándose en su pena, el cañaveral saludaba al olivo. Y evocando símbolos de paz, el olivo miraba hacia la colina del Calvario donde una cruz ensangrentada tenía a sus pies una pobre caña, muerta de pena y de vergüenza.

Capítulo XXI

El hombre que quiso ver para creer

*La tarde del primer día de la semana,
estando cerradas las puertas donde se hallaban los discípulos
por temor a los judíos, vino Jesús...
Tomás, uno de los doce, llamado Dídimo,
no estaba con ellos cuando vino Jesús.
Dijéronle, pues, los otros discípulos: —Hemos visto al Señor.
Él les dijo: —Si no veo en sus manos
la señal de los clavos y meto mi dedo en el lugar de los clavos
y mi mano en su costado, no creeré"
—Juan 20, 19*

El lector no puede menos, en una espontánea reacción ante lo imposible, que preguntarse cómo fue posible que "estando cerradas las puertas vino Jesús". Más de uno miraría, muy sorprendido, pasmado, a su vecino con el gran interrogante en los ojos: ¿cómo entró? Y en más de una mente revolotearía, como pájaro loco, la pregunta sin respuesta: ¿por dónde entró, si está la puerta cerrada? ¿Es Él o es un fantasma que se le parece?

Pero no había lugar a duda: era Él, era el Maestro, era Jesús en persona... con una túnica blanquísima... con las marcas de sus heridas en manos y pies... con una cara como radiante de felicidad... con un aire de vida nueva, inexplicable pero real. Tan real era Él que todas las dudas y miedos se disiparon en cuanto habló, en hebreo, por supuesto:

— *Shalom*. La paz sea con vosotros —fue lo primero que les dijo.

Y adivinando dudas, "les mostró..." —puntualiza San Juan en su *Evangelio*— "... las manos y el costado". Y añade, como quien no dice nada: "Los discípulos se llenaron de gozo al ver al Señor". Y no solo reflejó así su propia alegría, sino que sin duda incluyó la de todos los demás que pondrían en sus caras una clarísima pincelada de satisfacción.

No nos dejó constancia el señor notario de qué más habló Jesús; y se comprende porque no cargaba ni papel ni pluma consigo; ni de cuánto tiempo estuvo allí con ellos, porque nadie cargaba tampoco reloj para contar las horas; ni de cómo se fue, si cómo vino o si salió abriendo la puerta.

De todas maneras, todas estas menudencias no le quitan ni un átomo a la grandeza del hecho que, por supuesto, haría un impacto profundísimo en las almas de todos. De todos, menos de Tomás que, por nabos o por coles, no había ido a la reunión. O si fue, llegó tan tarde que se perdió lo mejor. Por eso los demás le participaban con una euforia, e insuperablemente contentos, que habían visto al Maestro, que se había presentado de repente ante todos ellos; que era más que cierto, certísimo, que Jesús había resucitado...

—Entiendo lo que me estáis diciendo —replica Tomás con cierto aplomo y parsimonia—. Lo entiendo. Pero yo... entendedlo vosotros todos muy bien: yo... si no lo veo, no lo creo. Punto.

Y sobraban más explicaciones ante un hombre que, para

creer, se aferraba al ver y tocar. Una actitud que puede ser muy razonable pero que también está muy lejos de la fe.

El caso es que, a los ocho días, estando los discípulos reunidos igualmente a puerta cerrada, y Tomás con todos ellos, de nuevo repentinamente, sin llamar ni que nadie le abriera la puerta, se hace presente Jesús. Es más que disparatado imaginar que alguno le fue a participar el chisme de lo que había dicho Tomás. Y para sorpresa del incrédulo y de todos, Jesús, después del saludo, "*Shalom*", se dirige a Tomás:

—Tomás, tú dijiste que querías ver y tocar. Ven, acércate; pon tu dedo en los agujeros de mis manos y tu mano en la herida de mi costado y no seas incrédulo, sino fiel.

En aquel instante Tomás no supo lo que le pasaba. Notó que sus piernas no lo obedecían. Sintió como un peso de toneladas sobre sí por lo que había dicho. Se había puesto de pie y ahora notaba que no se aguantaba seguro y firme. Cayó de rodillas, encorvó su cuerpo, agachó la cabeza, se tapó la cara con las dos manos y con los ojos cerrados vio más claro que nunca.

—¡Señor mío y Dios mío! —balbuceó, como pidiendo perdón.

Y es que, al ver y oír a Jesús, se le habían disipado todas las tinieblas del alma y todos sus adentros se habían llenado de aquel resplandor sin par del Maestro resucitado. No había lugar para las dudas donde se hallaba la evidencia. Y la evidencia estaba allí, ante él, en la persona real de Jesús de veras resucitado, vivo y glorificado, que traspasaba puertas cerradas y paredes macizas; que resplandecía deslumbrante; que iluminaba el alma hasta su último rincón y disipaba todas las dudas.

Es una actitud muy repetida por incontables otros Tomases la de querer ver y tocar, para creer. No es nada fácil, para el que no lo ha practicado nunca, agarrar una pértiga y querer levantarse unos metros del suelo para brincarse un nivel bastante alto. Los humanos siempre nos movemos pisando el suelo y dejamos para las afortunadas aves el levantar el vuelo. Somos racionales y nos cuesta aceptar lo que no lo sea.

¿Y cómo puede ser razonable que un muerto esté vivo? ¿Cómo puede ser razonable que un hombre sea también Dios? ¿Cómo puede ser razonable que aquel Jesús que habían destrozado en el pretorio de Pilatos y murió en el terrible tormento de la cruz, en vez de corromperse como todos los muertos enterrados, se hubiera transformado en tres días en la maravilla que Tomás también ve ahora, y la ve mejor con los ojos tapados por la vergüenza de su incredulidad?

El apóstol, llamémosle "testarudo", de golpe y porrazo se agarra a su pértiga y se levanta airosamente del suelo de la razón al nivel sobrenatural de la fe. "¡Señor mío y Dios mío!". No se puede decir más en menos palabras. ¿Y para qué más explicaciones si se sobreentiende todo lo demás? "Estoy más que avergonzado de mi racionalismo, de mi cerrazón del alma, de mi rechazo al testimonio de mis hermanos, de mi incredulidad. Me avergüenza no haber creído y no me queda más remedio que creer. Tú eres mi Señor y mi Dios".

Y entonces viene lo mejor. Jesús remata su regaño al incrédulo, ya convencido, con una afirmación maravillosa y trascendente. Maravillosa porque de un Mal —una actitud cerrada a la gracia y al testimonio fraterno— saca un incalculable Bien. Y trascendente porque sobrepasa el momento real para alcanzar, digamos, una universalidad de tiempo y de personas.

—Tomás, tú has creído porque has visto. Bienaventurados los que crean sin ver.

Mi persona entera, mi cuerpo y alma, todo mi ser se regodea en esa sublime afirmación. Como tú y cualquiera que crea que está en el infinito número de los que han creído y de los que creen y de los que seguirán creyendo —¡sin ver!— en Él, vivo, glorioso, resucitado, vencedor de todo Mal y del Mal de males: la mismísima Muerte.

Me decía un buen amigo poeta, el licenciado don Rafael Trujillo, de feliz memoria, que para él la fe era creer en lo que no se ve ¡a pesar de lo que se ve! Había, cierta y lamentablemente, una muy dura carga de decepción en su predilecta frase. Porque, en efecto, sentimos como un terremoto en el alma cuando vemos las más viles miserias humanas en quien nos ha de dar ejemplo de fe.

Más que terremoto ha sido, en el presente, el escándalo de los sacerdotes pedófilos. Y no digamos nada de los peores días y años de la historia de la Iglesia, que llegó a tener por Papa a un muchacho de dieciocho años, desde el 1033 al 1044, llamado Benedicto IX, además de los tristemente famosos de la familia española de los Borgia en los 1500.

Pese a todo se ha cumplido, y seguirá cumpliéndose, la promesa de Jesús a Pedro: "Sobre ti edificaré mi Iglesia y las puertas del infierno no podrán contra ella". En otras palabras, el nivel de la fe está muy por encima de todas las miserias y fuerzas humanas.

Tomás pudo oír el halago del Maestro, gloriosamente resucitado, de ser bienaventurado por creer porque había visto. Pero todo el tiempo de siglos y milenios no apaga el eco del halago de ser más bienaventurados todos los que crean sin ver o… a pesar de lo que vean.

Capítulo XXII

Los dos decepcionados

Ese mismo día, dos discípulos iban de camino a un pueblito
llamado Emaús, a unos treinta kilómetros de Jerusalén,
conversando de todo lo que había pasado.
Mientras conversaban y discutían, Jesús en persona
se les acercó y se puso a caminar a su lado,
pero algo les impedía reconocerlo
—Lucas 24, 13-15

De los dos discípulos, el propio Lucas nos da el nombre de uno: Cleofás. Cualquiera sabe que no corresponde a ninguno de los doce apóstoles pero se lo puede identificar con Alfeo, el marido de una de las tres Marías y padre de Santiago el menor. Dos de las Marías, la de Magdala y la esposa de Cleofás, precisamente son las primeras que, al alba del día siguiente, durante el descanso obligado del sábado — "muy temprano" nos precisa el escritor—, "fueron al sepulcro con los perfumes que habían preparado".

Al llegar vieron que la piedra que servía de puerta del sepulcro había sido quitada. Entraron y no encontraron el cuerpo del Señor Jesús, de tal manera que no sabían qué pensar. Pero en ese momento vieron a su lado a dos hombres con ropas brillantes. Se asustaron mucho y no se atrevían a levantar los ojos del suelo. Ellos les dijeron: —¿Por qué buscan entre los muertos al que vive? No está aquí. Resucitó. Acuérdense de lo que les dijo cuando todavía estaba en Galilea: "*El hijo del Hombre debe ser entregado en manos de los pecadores y ser crucificado y resucitado al tercer día*" (*Lucas* 24, 1-8).

Es muy comprensible y natural la reacción de las mujeres. Corren a contar lo que han visto a los apóstoles. Y también es muy comprensible y natural que a los apóstoles "*los relatos de las mujeres les parecieron puros cuentos y no les hicieron caso*" (*Lucas* 24, 11).

—¿Están ustedes locas o qué? —les increparía alguno de los apóstoles—. ¿Cómo puede ser posible eso que dicen? ¿Que el sepulcro está vacío? ¿Que dos hombres con ropas brillantes les dijeron… que Jesús resucitó? Y si así fuere, ¿a dónde se fue, dónde está?

—Ninguna de nosotras —puede que alguna replicara— sabe más de lo que les hemos dicho. Pero conste que estamos más cuerdas que nunca. Y si no nos creen, vayan. Vayan a ver con sus propios ojos.

—Las mujeres —remarcaría algún otro de los doce— son todas muy fáciles de deslumbrar. Y les gusta mucho fantasear…

—Nada, nada, nada de deslumbramientos —trataría otra de convencerlos—; ni de fantasías. Las tres hemos visto lo que les estamos diciendo.

Y posiblemente la discusión se alargara por horas enteras sin llegar a ninguna conclusión. A ellas les quedaría cierta decepción porque su palabra y su testimonio no convencían. A ellos les sonaba a "puros cuentos" la increíble testificación. Hasta que al final, Pedro decide ir a ver.

—¿Quiere alguno venir conmigo? ¿Me acompañas, Juan?

Los demás se quedan esperando, porque al fin y al cabo, nadie tiene prisa para nada después del fiestón de la Pascua. Y a la vuelta de Pedro y Juan solo se aclara que las mujeres tienen razón en que el sepulcro está vacío. Pero sabrá Yahvé qué se hizo de Jesús. Así que, acabados todos los comentarios, se dispersan, cada cual a lo suyo o con los suyos.

Pero dos deciden dejar la ciudad que sigue siendo todavía, por la gran fiesta de las fiestas, como un avispero de gente, y buscan la bucólica tranquilidad del pequeño poblado de Emaús, a una jornada de camino.

"Conversaban de todo lo que había pasado" detalla el evangelista, pero había una gran carga de decepción en sus palabras. Ni las mujeres ni Pedro ni Juan podían añadir algo más a la sorprendente noticia de que el sepulcro estaba vacío.

—Francamente, Cleofás, yo eso lo veo más que extraño.

—Tienes razón. Lo es, lo es.

—A mí, y creo que a todos, lo que más me intriga es qué se ha hecho de Jesús. Si resucitó… ¿dónde está? ¿Por qué no se deja ver?

—Creo que todos esperábamos y creíamos que él sería nuestro libertador. Todo Israel está harto de pagar impuestos a los romanos, ¿no es cierto?

—Certísimo. Pero según van las cosas, por ahora nos tocará seguir pagando…

"*Jesús en persona se les acercó y se puso a caminar a su lado, pero algo les impedía reconocerlo*" (*Lucas* 24, 15).

—¡Muy buenos días! ¿Qué? ¿Vais a Emaús?

—Efectivamente, peregrino, para allá vamos.

—¿Y de qué estáis hablando, si puede saberse? Mientras os alcanzaba iba viendo vuestra gesticulación, y ahora veo vuestras caras como de muy preocupados…

Cleofás se volteó a verlo para decirle a su vez:

"—*¿Cómo? ¿Así que tú eres el único peregrino en Jerusalén que no sabe lo que pasó en estos días?*" (*Lucas* 24, 18).

—¿Pues qué pasó? —se hace el ignorante el Omnisciente.

Y se despachan los dos a gusto exponiéndole la situación. Y lo más importante de la situación era que ellos "esperaban" que Jesús fuera el libertador de Israel. Pero no. Nada de liberación.

El extraño peregrino que se hizo compañero de camino los escuchaba con toda atención. No los interrumpe para nada. Los deja hablar todo lo que quieren. Al cabo, el camino es largo y faltan horas todavía para llegar. Pero cuando ellos callan, desahogando su decepción, él toma la palabra. Y lo primero que les dice es un muy merecido regaño:

—¡Qué poco entendéis y cuánto os cuesta creer todo lo que anunciaron los profetas!

Los dos se mirarían el uno al otro en silencio, con cara de sorprendidos, por el regaño, pero diciéndose calladamente, y solo con la mirada, que aquel peregrino tenía toda la razón.

—¿Acaso no era necesario —siguió hablando como increpándolos— que el Cristo padeciera para entrar en su gloria?

—Sí, claro que sí... —balbucearía uno de los dos mientras el otro asentía con la cabeza.

"*Y comenzando por Moisés y recorriendo todos los profetas les interpretó todo lo que las Escrituras decían sobre él*" (*Lucas* 24, 27). Cleofás y compañero se mirarían mutuamente más de una vez y mostrarían su asombro con la boca cerrada y los labios apretados, como quien sin palabras asiente a lo que otro habla. Porque era para oír lo que aquel extraño peregrino estaba diciendo.

"¿Dónde habrá aprendido tanto ese hombre?", se preguntarían asombrados y en silencio los dos.

Porque de veras hablaba más que bien, como todo un sabio

en la materia, más que razonablemente y a la vez con sencillez y en tono amable; de tal manera que ellos estaban más que encantados de oírlo. Algo de todo lo que decía resonaba como el eco del mismo Jesús que en tantas ocasiones habían tenido la fortuna de escuchar.

Ni cuenta se daban de que la tarde ya iba cayendo y el camino alcanzaba Emaús. La pequeña aldea ya estaba a la vista.

Él se calló por un momento, detuvo su paso y los dos también.

—Mis amigos, ha sido un placer encontrarnos —les dijo muy amablemente—. Vosotros ya llegasteis pero yo sigo.

—¡Pero, hombre, si ya está anocheciendo! —exclamaría uno de los dos—, "quédate con nosotros". Descansa en nuestra humilde casa y mañana sigues.

—¿No será mucha molestia para vosotros?

—¡Ninguna molestia! ¡Será un placer! Y así podremos seguir platicando.

—Me rindo a tanta amabilidad. Me quedo.

Había sido para Cleofás y compañero como una simple casualidad, como un encuentro feliz, como lo más natural del mundo. Y sin saberlo ellos, primero al escuchar con atención y después ofreciendo su hospitalidad e insistiendo en hacer el favor, estaban preparando así el momento más sobrenatural de sus vidas.

Entraron los tres a la casa. Prendieron un par de candiles. Sacaron el polvo de la mesa y lo invitaron a sentarse mientras uno sacaba de su alforja un pan y el otro escanciaba algo de vino de una jarra. Después de casi ocho horas de caminar, se estaba muy a gusto sentados en torno a una mesa y dispuestos a reponer las energías gastadas en casi treinta kilómetros. No podían ofrecer al amigo un suculento banquete, pero algo es algo. Ellos probablemente pensaron que, entre bocado y sorbo, podrían preguntarle muchas cosas de las tantas que les había hablado tan elocuentemente, y seguir así oyéndolo un rato más antes de tumbarse a dormir. Pero aquel atardecer a puerta cerrada, iba a entrar allí la mayor sorpresa de sus vidas.

"Una vez estuvo a la mesa con ellos..." —escribe Lucas en el versículo 30 de su último Capítulo, el 24— *"...tomó el pan, lo bendijo, lo partió y se lo dio"*.

La misma llama del candil se quedó paralizada de asombro en su temblor. Los dos torcieron sus cabezas para mirarse con ojos desmesuradamente abiertos. Se quedaron por un momento mirándose asombrados, en silencio y en perfecta sintonía de pensamiento. Tenían el pedazo de pan en sus manos, paralizados también ellos de asombro. Sus mentes volaron hasta la última cena de Jesús con los doce discípulos. Ellos no habían estado en persona en aquella sublime celebración de la Pascua, pero lo habían oído contar a Pedro y a Juan y a todos los once. Por muy increíble que pudiera parecer, así era: ¡aquel extraño peregrino era Jesús en persona!

Cuando dejaron de mirarse atónitos y volvieron la cabeza hacia Él para cerciorarse, ya no estaba. Y ni cuenta se dieron de cómo se había ido. Pero allí quedaban ellos, solos, paralizados de asombro, con un hervor de gozo único en el alma porque efectivamente Jesús había resucitado.

—Oye, Cleofás, ¿verdad que sentíamos arder nuestro corazón cuando nos hablaba por el camino?

—Y nos explicaba las *Escrituras*… Sí, señor. ¡Cómo no!

—¿Sabes qué? Hay que volver a Jerusalén.

—A contar a los demás lo que nos ha ocurrido, claro que sí.

—¡Pues vamos! ¿A qué esperamos?

Y no les dolió el cansancio ni les arredró la noche. Todo su camino de vuelta fue un inacabable comentario gozoso de todo lo que Él les había dicho tan llana pero también tan explícitamente. Algo les decía en sus adentros, mientras lo oían, que aquel peregrino era una persona muy especial. Y ellos no conocían otra persona más especial que Jesús de Nazaret. Pero, ¿quién iba a imaginar que se convertiría en compañero de camino precisamente de ellos dos? Solo "se les abrieron los ojos al partir el pan".

Ciertamente no les dijo como les había dicho a los doce en la última cena: "Tomad y comed. Esto es mi cuerpo…", pero había repetido los mismos gestos y, sin palabras, ellos entendieron perfectamente el significado. De hecho los invitó a comer su cuerpo, alma y divinidad, que habían sido glorificados al tercer día de su muerte.

Sin duda alguna, ellos habían hecho su primera comunión. Y los efectos fueron inimaginables también. Caminaron de vuelta los casi treinta kilómetros hasta la ciudad, pero mucho más aprisa y, en consecuencia, en menos tiempo, y con el cuerpo y alma rebosando de un ánimo nuevo que, a la vez, hacía sentir la urgencia de compartir lo vivido con los demás amigos de Jesús.

En Jerusalén "*encontraron reunidos a los once y los de su grupo*" (*Lucas* 24, 33). Y allí los esperaban otras dos grandes sorpresas.

La primera fue que, por todo saludo, los reunidos les participaron su alegría, ya que Jesús efectivamente había resucitado "*…y se dejó ver por Simón. Ellos por su parte contaron lo sucedido en el camino y cómo lo habían reconocido al partir el pan*" (*Lucas* 24, 34-35).

La segunda sorpresa —¡todavía mayor!— fue que mientras no acababan de compartir su gozo y alegría, Jesús en persona se hizo presente entre ellos. Si donde se encontraban estaba la puerta cerrada, nadie llamó ni nadie la abrió. Y sin embargo allí aparece Jesús que, con una cara más que feliz, les está deseando la paz: "*Shalom*".

Quien nos firma como el acta notarial de los hechos, el evangelista, nos precisa que "estaban atónitos y asustados, pensando que veían algún espíritu". Es muy comprensible y natural. Encontrarse de pronto ante algo tan sobrenatural sería como restregarse los ojos para ver mejor y agarrarse las piernas para que dejasen de temblar. Pero no, no había nada que temer y muchísimo que gozar. Porque sí, era Jesús glorioso el que pedía ahora algo que comer para mayor tranquilidad y convencimiento de todos.

No sabemos nada más de los decepcionados. Pero resulta fácil imaginar que todo lo vivido y todo lo que les esperaba por vivir, como la venida del Espíritu Santo prometido y las miles de conversaciones, resultado de la primera predicación de Pedro, harían de Cleofás, y su compañero, fervientes creyentes en el Hijo de Dios, Jesús de Nazaret, hijo de María casada con José.

Puede resultar fácil y provechoso tratar de identificarse con los dos decepcionados. Porque es muy cierto que todos, a lo largo del camino de nuestra vida, tenemos momentos de desánimo y decepción que nos llevan a alejarnos de todo y de todos, buscando refugio en nuestra soledad. Y también es muy cierto que Él se nos hace el encontradizo, precisa y justamente "al partir el pan".

Sin duda alguna que la comunión de su cuerpo, alma y divinidad, me dará también todo el ánimo necesario para desandar los caminos de todas mis dudas, de todos mis miedos y de todas mis decepciones.

"Haz la prueba y verás qué bueno es el Señor" (Salmo 34).

Capítulo XXIII

La tercera aparición

...Jesús se hizo presente a sus discípulos
en la orilla del lago de Tiberíades.
—Juan 21, 1

Se había aparecido Jesús dos veces a puerta cerrada, posiblemente en la misma sala de la última cena. Mucho más que el lugar, importa la manera de hacerse presente. El hecho de que los apóstoles tuvieran miedo hace más que razonable el tener las puertas cerradas. Y así y todo Él entra sin llamar y sin que nadie le abra. Hay que hacer trabajar de veras la fantasía para poder contemplar adecuadamente la realidad y extasiarse ante la innegable maravilla.

Ya sabemos: la primera vez no está Tomás. Cuando se reúne de nuevo con los demás y ellos le cuentan la incomparable experiencia, no quiere creer hasta verlo con sus ojos propios ojos.

¡Oh, Dios! ¡Cómo abundarían y sobreabundarían los Tomases al paso de los siglos y milenios!

El caso es que a los ocho días —¡y solo Dios sabrá por qué esperó precisamente ocho días y no se presentó al siguiente!— sí estaba Tomás con todos, reunidos de nuevo e igualmente con las puertas cerradas "por miedo". Cuando de pronto, igual que la primera vez, sin llamar ni que nadie abriera, Jesús se hace presente, con su túnica blanca resplandeciente y su aspecto de glorificado.

Por más que pongamos a hervir nuestra imaginación, no cabe en ella que alguien le hubiera ido a contar el chisme del ausente incrédulo, si nadie sabía dónde encontrarlo. Y se quedarían todos más que sorprendidos porque, además de su manera de aparecerse, entonces se dirige al incrédulo mostrándole las heridas de sus manos:

—Tomás, tú que querías ver y tocar para creer, ven, acércate. Mira y toca.

El tono de su voz sería suave. Ni regaño parecería lo dicho, sino que sonaría a una amable invitación. Pero el flechazo había llegado a lo más hondo del ser de Tomás. Y habría, para todos, unos instantes de gran expectación. Y todos verían como Tomás se hincaba humildemente, agachaba su cabeza, se tapaba la cara con las manos y exclamaba:

—¡Señor mío y Dios mío!

En el alma del incrédulo había entrado un rayo de luz especial y ahora veía muy claro por dentro con el don y gracia de la fe.

Pero la tercera vez que Jesús se les aparece a sus discípulos ya no es a puerta cerrada. Es a campo abierto, en la orilla de aquel lago al que por grande también le llamaban mar: el mar o lago de Genesaret o también de Tiberíades.

Estaban reunidos... —escribe Juan en el Capítulo último, el 24 de su *Evangelio*— *...Simón Pedro, Tomás el Gemelo, Natanael de Caná de Galilea, los hijos del Zebedeo...* —ellos eran Juan y Santiago— *...y otros dos discípulos. Simón Pedro les dijo: —Voy a pescar.*

Le contestaron: —Nosotros vamos también contigo. Partieron y subieron a la barca. Pero esa noche no pescaron nada. Al amanecer, Jesús se presentó en la orilla. Pero los discípulos no podían saber que era Él.

Jesús les dijo: —Muchachos, ¿tienen algo de comer?

Le contestaron: —Nada.

Entonces Jesús les dijo: —Echad la red a la derecha y encontraréis pesca.

Hasta aquí el relato-testimonio no tiene nada de especial. Todos eran pescadores, deciden ir a pescar, no hay ni pizca de suerte como otras veces había sucedido. Se cansan de bregar en vano y, pasadas infructuosamente las horas de la noche, al amanecer se dirigen cansados de nuevo a la orilla. Allí ven a un tipo alto que en algo podía semejarse a Jesús pero… ¡quién iba a pensar que precisamente a aquellas horas y en aquel lugar estuviera Él! Además, si todavía no había salido el sol, era muy natural que sin total claridad no se alcanzara a distinguir quién era el que les hablaba.

De todas maneras, la orden de que echaran la red a la derecha les sonó con un eco muy especial. Tan especial, que se miraron calladamente por un instante unos a otros como sintonizando todos la misma onda.

—¿Qué dijo? —preguntaría uno.

—Que si queremos pesca, echemos la red a la derecha —diría otro.

—Pues venga —ordenaría Pedro—, que al fin y al cabo no cuesta tanto.

Y luego sienten que la red ya pesa y hay que jalarla con ganas entre todos, porque efectivamente viene nada menos que con ciento cincuenta y tres pescados de los más grandes y ninguno pequeño.

—¡Guauuu! —exclamarían varios a la vez, mientras los peces daban sus últimos brincos de agonía sobre la cubierta.

—…Ciento cincuenta y uno… —irían contando a coro— … ciento cincuenta y dos… ¡ciento cincuenta y tres!

En aquel momento, el número no les hizo pensar nada particular. Pero tal vez sí traía su significado especial, ya que en aquel entonces las naciones o países conocidos del planeta eran precisamente ciento cincuenta y tres. El caso es que la cantidad asombró a todos, y a Juan sí le hizo pensar en Jesús. Se le acerca a Pedro y le dice señalando a la orilla:

—¡Es el Señor!

—¿Qué dices?

—¡Que es Él! ¡Es Él!

Y Pedro reacciona. Se remanga su túnica y se tira al agua para batir el record de los cien metros braceando como campeón.

En la orilla hay un fuego con un pescado y un pan sobre las brasas. Y allí está Él, de pie y con un rictus de satisfacción en la cara. Ahora sí pueden verlo Pedro y todos los demás que ya llegaron con su carga de peces; y a ninguno le hace falta preguntarle: "¿Tú quién eres?". Para todos está tan claro, como el amanecer, que efectivamente es Él. No hay ninguna duda.

—Traed unos pescados para cocerlos y venid a desayunar —pide Jesús con naturalidad y sencillez.

Lo más probable es que entre el hambre y el asombro, nadie dice nada de nada.

No cuadraba usar los tópicos: "Está fresca la mañana, ¿eh?". O "¡cuánto tiempo sin vernos! ¿Qué tal…? ¿Cómo habéis estado?"

"Después que comieron…" —sigue escribiendo Juan— "… Jesús dijo a Simón Pedro: —Simón, hijo de Juan, ¿me amas más que estos?".

Se sorprendió, sin duda alguna, Pedro y cada uno de los

demás también. Era una pregunta muy directa, muy concreta y muy importante. Con el amor todo el mundo sabe que no se juega. El tema siempre es de lo más serio porque el amor es lo máximo de la vida.

Pedro no titubea y responde:

—Sí, Señor, tú sabes que te quiero.

—Apacienta mis corderos —añade Jesús.

Alguno de los otros, y tal vez el mismo interpelado, se preguntaría calladamente cuáles corderos, si ninguno de ellos es pastor… Pero más intrigante resultaba saber por qué preguntaba eso precisamente.

No se acababa el pensamiento en todas las cabezas cuando Jesús pregunta de nuevo:

— Simón, hijo de Juan, ¿me amas?

Pedro, como quien no le da importancia a la insistencia, responde decidido:

—Sí, Señor, tú sabes que te quiero.

—Cuida mis ovejas —le replica Jesús.

Posiblemente en la mente de Pedro resonaría la promesa otrora hecha de que sobre él se construiría la Iglesia y los poderes del infierno no podrían contra ella. Los demás, precisamente por ello, aceptaban calladamente la exclusividad de ese diálogo tan especial.

Así era y así fue de exclusivo y especial, que por tercera vez Jesús le pregunta:

—Simón, hijo de Juan, ¿me quieres?

"Pedro se puso triste…" —nos precisa quien nos deja por escrito lo sucedido— "…al ver que Jesús le preguntaba por tercera vez si lo quería. Le contestó: —Señor, tú sabes todo, tú sabes que te quiero. Entonces Jesús le dijo: —Apacienta mis ovejas".

Casi sin duda alguna, Pedro se puso triste a la segunda repetición de la pregunta porque le hizo recordar —¿cómo no?— las tres negaciones durante la noche del prendimiento. ¡Qué terriblemente negra fue aquella noche, Dios! El miedo le puso la negación en la boca. Y el miedo, cuando invade al más valiente, lo hace temblar y le oscurece la mente. Definitivamente, más que maldad fue cobardía el negar por tres veces que conociera al prendido en el huerto de Getsemaní. Pero ahora suena en sus adentros como compensación, como rectificación, como el mayor arrepentimiento, la triple pronunciación de la misma pregunta: "¿Me quieres?".

No hay lugar para la duda en quien contemple la escena, ni aun en la lejanía de dos milenios pero con el acercamiento de la imaginación: para balancear una cobardía, una torpeza, una mala conducta en nuestra vida, no busquemos nada mejor que el amor. El más sincero de los arrepentimientos ha de brotar de la única y verdadera fuente: el amor.

Cabe tener en cuenta aquí que el amor también incluye su parte de temor. Pero parte, nada más. Y de temor. No de miedo. El temor es un miedo chiquito. Pero ciertamente, si el temor sobreabunda y lo inunda todo, acaba ahogando al amor. El temor debe ser siempre a lo sumo como el freno de mi vehículo; pero nunca jamás puede ser el motor ni el bloqueo o muerte del motor, porque entonces paraliza, ahoga, mata.

Sabemos que aquella negra noche, al oír cantar el gallo profetizado, Pedro se echó a llorar. No nos consta que llorara también en ese momento de la tercera aparición de Jesús. Pero si nosotros hubiéramos podido verle el rostro, probablemente se habría reflejado en sus ojos húmedos casi una necesidad de llorar.

Jesús le sigue hablando después de pedirle de nuevo que apaciente sus ovejas, de que cuando era joven él mismo se ponía el cinturón e iba a donde quería. "Pero cuando seas viejo abrirás los brazos y otro te amarrará la cintura y te llevará donde no quieras".

Efectivamente, pasaron los años. Jesús ya no se apareció más. Los apóstoles cumplieron su mandato de predicar a todas las gentes. Pedro llegó con ese afán a la mismísima capital del Imperio, a Roma. Y allí, cuando la situación política se puso tan negra como cuando él era joven en Getsemaní, estuvo a punto de dejarse ganar de nuevo por el miedo. Y dicen que al salir de la ciudad huyendo del peligro de una muerte cruel, se encontró con Jesús que iba en dirección contraria. Sorprendido, Pedro preguntó en el lenguaje del imperio, en latín:

—*Quo vadis, Domine?* ¿A dónde vas, Señor?

—A Roma, a que me crucifiquen de nuevo —se cuenta que le respondió Jesús.

Y en aquel momento en el cerebro de Pedro revolotearía la idea de lo anunciado en la tercera aparición junto al lago.

Más allá de los *Evangelios* y *Hechos de los Apóstoles*, la Historia tiene constancia de que Pedro muere crucificado en Roma en el año 64, en la primera persecución de Nerón. Y la Historia también tiene constancia de que Juan es el apóstol que tiene una vida más larga, que acaba muy cerca de los cien años. A él también le vendría a la memoria cuando se entera de que Pedro ha sido crucificado cabeza abajo en Roma, aquel anuncio de Jesús en la orilla del lago, durante su tercera aparición de resucitado: "…Otro te amarrará la cintura y te llevará donde no quieras." Por eso nos deja su testimonio escrito en el último Capítulo de su *Evangelio*.

Por cierto, algunos ojos críticos ven que Juan termina su *Evangelio* dejando mucho por decir. Parece ser que el último párrafo precisamente fue añadido por algún anónimo amanuense para justificar o razonar un poco el final inacabado. En el primero de los últimos cinco versículos Juan nos precisa que Jesús le dice a Pedro: "Sígueme". Pero no dice a dónde van o dejan de ir. De la orilla del lago a la capital, a Jerusalén, había más que un rato. La ciudad medio importante más cercana era Cafarnaum al norte o Tiberíades al sur. Aquí la fantasía se pregunta: ¿adónde vamos, Señor? Y lo cierto es que los discípulos retornarían a Jerusalén y allí esperarían sin saber exactamente qué esperaban, después de ver embelesados que desde un monte junto a Betania, Jesús ascendía a los cielos y los dejaba huérfanos de su presencia.

Ciertamente Él les había prometido el envío del Espíritu Santo. Y es más que notable que, sin él, prácticamente no sabían qué hacer. Les dura el miedo de lo que pueda pasar. Se reúnen, sí, pero las horas y los días se les van y ellos siguen acobardados y en inacabables comentarios de todo lo sucedido, aunque se recreen sobre todo en el de las últimas y varias apariciones.

Faltaba un impulso mayor para ponerlos en movimiento. Era necesario un soplo fuerte del Espíritu para entrar en la dinámica de la predicación. Solo con la gracia y dones del Espíritu Santo prometido serían capaces incluso de desafiar la muerte más cruel.

Con Juan se cumpliría la medio enigmática respuesta de Jesús a Pedro: "¿Qué va ser de este? Si yo quiero que permanezca hasta mi vuelta, ¿a ti qué te importa?".

El discípulo más joven sobreviviría a todos y sería el último en morir de muerte natural al acabar la primera centuria.

Capítulo XXIV

De las maravillas de Dios + Fiesta de Pentecostés

Si hemos de hablar de las maravillas de Dios, por supuesto hemos de empezar por la Creación, ese baile fabuloso de monstruos energéticos en el espacio, estrellas, planetas, satélites… y la criatura humana hecha a su imagen y semejanza, hombre y mujer, no dos hombres ni dos mujeres —a buen entendedor le sobran palabras…

En segundo lugar, la maravilla de las maravillas, todo el misterio de la Encarnación del Hijo de Dios, desde la concepción y nacimiento, pasando por los quebraderos de cabeza de José, legal esposo de María, hasta la Resurrección, la victoria de Jesús sobre la muerte, y las innegables apariciones que la ratificaron para los más incrédulos como Tomás. Todo eso es tan maravilloso que sobrepasa nuestra propia capacidad de admiración.

El *Evangelio*, según escribió San Juan, nos recuerda la primera aparición de Jesús resucitado. Fue "al anochecer del día de la resurrección, estando cerradas las puertas de la casa". Se presentó Jesús en medio de ellos y les dijo: "¡*Shalom!*", la paz esté con vosotros. No hace falta pensarlo mucho para comprender que "cuando los discípulos vieron al Señor se llenaron de alegría".

Esa mañana había llegado jadeante María Magdalena allí donde estaban para decir que el sepulcro estaba abierto y vacío, medio tartamudeando de emoción y de falta de aire por la prisa. ¡Nada más y nada menos!

Pedro y Juan van con ella a ver. El ansia y la juventud hacen que llegue primero Juan pero, respetuosamente, espera a Pedro para entrar y ver que efectivamente el sepulcro está vacío. Solo está el sudario, dobladito y aparte y la sábana en el suelo.

Lo más raro de todo es que nadie puede imaginar dónde está el que estaba muerto y había sido enterrado allí. Pedro y Juan se regresan probablemente muy callados y muy pensativos. Magdalena se queda llorando junto al sepulcro vacío. Ella es la primera criatura privilegiada que experimenta el incomparable gozo de ver a Jesús resucitado.

—¿Por qué lloras, mujer?

—Es que me han robado a mi Jesús… Si has sido tú, por Yavé —las lágrimas a nadie dejan ver claro, y lo confunde con el jardinero— dime dónde lo has puesto…

—María…

—¡Maestro!

Y loca de alegría vuelve a donde están los discípulos reunidos —menos Tomás— porque siente verdadera necesidad de participar su gozo tan extraordinario. Así y todo, en la tarde de aquel mismo y tan especial día, Cleofás y otro compañero —aquí sí le cuadra la expresión común— de fatigas prefieren alejarse de tantos dimes y diretes y de tanta inútil expectación.

Desilusionados, deciden ir a Emaús que, por mucho más pequeño, es más tranquilo que la gran ciudad. Todos sabemos qué les ocurre: Jesús se les hace compañero de camino. Ellos lo ven y piensan que es un despistado forastero que no se enteró de nada de lo ocurrido en Jerusalén. Solamente se les abren los ojos del alma cuando, sentados alrededor de la mesa, Él los bendice, les parte y les reparte el pan. En un parpadeo de asombro, Jesús había desaparecido. Y ellos, como Magdalena, sienten la necesidad de compartir su gozo extraordinario. Se olvidan de su cansancio y no les arredra la noche para desandar el camino y participar su alegría.

De vuelta se encuentran con que Jesús se hizo presente a todos como por arte de magia; pero la única magia: la omnipotencia de Dios.

Y así y todo, siguen sin saber qué hacer. Es más; el miedo los hace cerrar las puertas y los obliga incluso a hablar a media voz para no llamar la atención de nadie.

Y fue pasado más de un mes y medio, las siete semanas de los cincuenta días de costumbre, cuando el pueblo judío celebraba el final de su Pascua. Fue en la fiesta de Pentecostés que ocurrió lo que nos cuenta Lucas en el Capítulo segundo de los *Hechos de los Apóstoles*.

> *Un gran ruido como cuando sopla un viento fuerte resonó en toda la casa. Es muy posible que más de una mente pensara en que la tierra iba a temblar. Pero no era un terremoto. De pronto, se les aparecieron como lenguas de fuego que se dividían y se posaban sobre cada uno de ellos y todos quedaron llenos del Espíritu Santo y comenzaron a hablar en lenguas extrañas, según el Espíritu Santo los movía a expresarse (Hechos 2, 3).*

No es nada fácil imaginar adecuadamente qué fue lo que pasó en realidad y de verdad. Si empezaron a hablar "lenguas extrañas", en la mente de uno se dispara como un resorte la pregunta: ¿para qué? Sin duda alguna el Espíritu Santo no venía a crear confusión. Pero qué cara pondría cada uno de aquellos que los oían, cada cual hablando en su propia lengua. Es muy comprensible que algún guasón no se tomara la cosa en serio y comenzara a propagar: "¡Están borrachos! ¡No saben lo que dicen!".

En Jerusalén siempre había personas venidas de otras partes y más aún con motivo de la gran fiesta de la Pascua que no solo duraba días, sino semanas. Enseguida se alborotó la gente por lo que estaba sucediendo y, en nombre de los demás apóstoles, tomó la palabra Pedro para empezar diciendo que de borrachos ni hablar, porque de mañana nadie toma, ni los más empedernidos que a esas horas batallan con la resaca…

Pretender hoy repetir el milagro de la diversidad de lenguas es ridiculizar aquel maravilloso fenómeno; y pretender programar la actividad del mismo Espíritu Santo para que "mañana y a tal hora" realice milagros de sanación y de "otras lenguas" según se me antoja a mí, fanático Pentecostal, es el colmo de la ridiculez.

Pedro se echa su primer sermón con citas bíblicas para convencer más y con su índice apuntado a los oyentes, llega a tocarles el corazón de tal manera que *los que acogieron su palabra se bautizaron y se agregaron aquel día unas tres mil almas"* (*Hechos* 2, 41).

Había nacido la Iglesia: un grupo de gentes, una comunidad de creyentes en el Señor Jesús que se tomaría tan en serio su nueva condición de bautizados que llegarían a "tenerlo todo en común". Es decir, vivirían de tal manera que dejaron chiquitos a todos los posibles y futuros comunistas y socialistas. Y así y todo, el sistema no funcionó como una utopía. ¿Quién puede tratar de hacer que en un bosque todos los árboles tengan el mismo grosor y la misma altura?

Con el segundo sermón de Pedro en el templo, después de la milagrosa curación del tullido de nacimiento "en el nombre de Jesús", se suman dos mil personas más a la "ecclesia", a la comunidad de creyentes, a la asamblea de los que se reúnen en el nombre del Señor. Y no valdrán los encarcelamientos, las muertes fulminantes de Ananías y su esposa Safira, y además el parche de la creación de siete diáconos, para ayudar en la administración.

Es innegable que fue una verdadera maravilla de Dios la primera etapa de la primera Iglesia comunista nacida en Pentecostés. Y lo sería también durante los trescientos y tantos años cuando los emperadores de Roma se empecinarían en acabar con los cristianos. Y seguiría siéndolo en la paz de Constantino y a lo largo de todas las tormentas en el mar de la vida, por siglos y milenios.

El Señor Jesús se lo había prometido a Pedro: "Tú eres Pedro y sobre esta piedra edificaré mi Iglesia y las puertas del infierno no podrán contra ella". Y se lo había prometido a todos: "Yo estaré con vosotros hasta el fin del mundo". Maravilla de Dios que, pese a todas las miserias humanas, como la misma barca de Pedro en el mar de Galilea, siga sorteando tempestades horrorosas y calmas desesperantes; siempre mar adentro, siempre más allá.

Indudablemente, en el nacimiento de la Iglesia sopló fuerte el Espíritu Santo. Igual en su crecimiento, pues superó todas las ideas equivocadas. En el ayer y en el hoy sigue teniendo y haciendo su buen trabajo en todos y cada uno de los que formamos la millonada de creyentes en Jesús. Dios sigue haciendo maravillas con los siete dones del Espíritu Santo: sabiduría, entendimiento, fortaleza, ciencia, piedad y temor de Dios.

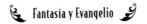

Acabamos con la "Secuencia", ese hermoso poema en honor de aquel acontecimiento que es, a la vez, la mejor oración para hoy:

Ven, Dios Espíritu Santo,
y envíanos desde el cielo
tu luz, para iluminarnos.

Ven ya, Padre de los pobres,
luz que penetra en las almas,
dador de todos los dones.

Fuente de todo consuelo,
amable huésped del alma,
paz en las horas de duelo.

Eres pausa en el trabajo;
brisa, en un clima de fuego;
consuelo, en medio del llanto.

Ven, Luz santificadora
y entra hasta el fondo del alma
de todos los que te adoran.

Sin tu inspiración divina,
los hombres nada podemos
y el pecado nos domina.

Lava nuestras inmundicias,
fecunda nuestros desiertos
y cura nuestras heridas.

Doblega nuestra soberbia,
calienta nuestra frialdad,
endereza nuestras sendas.

Concede a aquellos que ponen
en ti su fe y su confianza
tus siete sagrados dones.

Danos virtudes y méritos,
danos una buena muerte
y contigo el gozo eterno.
Amén. Aleluya.

Capítulo XXV

Fiesta de la Santísima Trinidad

Gloria al Padre y al Hijo y al Espíritu Santo.
Al Dios que es, que era y que vendrá.
—*Apocalipsis 1, 8*

Hermanos, todos hemos oído por lo menos alguna vez el nombre del gran sabio Einstein. Su primer nombre era Alberto. Había nacido en Alemania en el año 1879. Era judío. En 1901 —por lo tanto, a los veintidós años de edad— se nacionalizó en Suiza y aceptó un trabajo en la Oficina de Patentes de Berna. En 1905 fue nombrado Profesor de la Universidad de Zurich. En 1914 pasó a ser miembro de la Academia de las Ciencias en Berlín. En 1915 causó sensación en todo el mundo científico su explicación del movimiento anómalo del planeta Mercurio. Después hizo una notable predicción sobre la curvatura de los rayos luminosos procedentes de las estrellas que pasan cerca del sol; y la comprobación de la exactitud de tal predicción, con ocasión del eclipse solar de 1919, le dio fama mundial. Pero mayor renombre le dio en 1905 la formulación de su famosa teoría de la relatividad: energía es igual a masa multiplicada por la velocidad de la luz al cuadrado.

Déjenme añadir algo muy significativo también, lo que declaró una vez a un periódico de Londres: "Cuando en Alemania acaeció la revolución, me dirigí a las universidades pensando que siempre se habían consagrado a la defensa de la libertad. Me engañé. Las universidades estaban reducidas al silencio. Me dirigí entonces a los grandes editores de periódicos en cuyos rimbombantes editoriales habían sostenido el amor por la libertad. Estos, como las universidades, también habían sido obligados en pocas semanas a cerrar la boca. Presenté finalmente una petición a los escritores y literatos que habían escrito tan competente y abundantemente sobre los valores de la libertad en la vida moderna. También ellos estaban mudos. Solo la Iglesia, entre todos, se pronunció claramente contra la campaña hitleriana que suprimía la libertad. Hasta entonces yo no había mostrado interés particular por la Iglesia, pero desde aquel momento comencé a sentir afecto y admiración por ella a causa de su valentía. Era la única institución que había mostrado firmeza y audacia en la defensa de la verdad intelectual y de la libertad moral. Por eso admiro hoy sin reserva a la Iglesia, a la que antes había subestimado".

Creo que sobran comentarios. Pero perdonen la digresión y vayamos a lo nuestro.

Yo me imagino aquel día y aquel momento en que el joven profesor de la Universidad de Zurich habla y habla de la relatividad y acaba escribiendo en el pizarrón la extraña fórmula:

$$E = mc^2$$

Donde:
E = energía
m = masa
c^2 = velocidad de la luz al cuadrado

Lo más seguro del caso sería que todos los alumnos se habrían quedado con la cabeza más caliente que una olla hirviendo, pero sin entender ni papa. Pero lo acababa de decir el profesor, el sabio maestro, el genial científico, el cerebro privilegiado, el señor don Alberto Einstein. Y tenía razón. Y aunque ni tú ni yo acabemos de entenderlo, sigue siendo verdad y maravilla. Y hay que ver como han adelantado las ciencias, que es una barbaridad, como dice el dicho, y de ello nos estamos beneficiando todos en múltiples aplicaciones prácticas.

Pues, hermanos: algo parecido nos pasa con el misterio de la Santísima Trinidad. ¿En qué cabeza cabe que uno sea tres y tres, uno? Es algo así como una fórmula mucho más incomprensible que la de Einstein: uno es igual a tres y tres es igual a uno.

Es posible que tal vez hayamos podido ver con nuestros propios ojos algo parecido en la misma naturaleza: un árbol o una palma que brota de una única raíz bajo el suelo, crece en tres troncos o tres palmas casi iguales. ¿Son tres árboles o tres palmas? ¿O un solo árbol o una sola palma con tres troncos? La comparación se pasa de burda y queda ridícula ante la grandeza del misterio de la Santísima Trinidad.

Se cuenta del gran santo y sabio Agustín, obispo de Hipona, que andaba por la playa del Mediterráneo, piensa que te piensa en aquel misterio, sin encontrarle explicación satisfactoria. De pronto vio a un niño que se divertía acarreando agua del mar a un hoyo en la arena.

—¿Qué estás haciendo, niño? —le pregunta Agustín.

—Voy a meter toda el agua del mar en este hoyo —le contesta el niño.

—Se me hace —le replica sonriendo el obispo— que no vas a poder...

—Pues tú tampoco —le suelta el crío— vas a poder entender lo que estás pensando.

Es que el misterio relativo al infinito, hermanos, no cabe en nuestra mente tan finita y limitada. Nos pasa algo parecido a lo que le pasó al apóstol Tomás con la Resurrección de Jesús. Se había aparecido a los demás apóstoles estando reunidos a puerta cerrada. Por nabos o por coles, Tomás no había ido y si fue, llegó tarde y se perdió lo mejor. Los demás le participaban su gozo contándole la aparición y asegurándole, pues, que de veras había resucitado y estaba vivo. Ya sabemos todos lo que decía Tomás: "Yo si no veo y toco, no creo".

A los ocho días, estando de nuevo reunidos en el mismo lugar e igualmente a puerta cerrada, y Tomás con todos, se presenta Jesús. No cabe ni imaginar que alguien fuera a contarle a Jesús el chisme de lo que había dicho Tomás, porque nadie sabía por dónde andaba. Y Jesús se dirige a él:

—Tomás, tú que querías ver y tocar, ven, acércate. Ven y toca, y no seas incrédulo.

¿Qué creen ustedes que hace Tomás? ¿Se acerca a Jesús? ¿Va a verlo y a tocarlo? ¡Nooo! Ni mucho menos. Siente que le flaquean las piernas. Cae de rodillas. Encorva su cuerpo y tapa su cara con las dos manos. Y él, que quería ver para creer, con los ojos cerrados exclama, como pidiendo perdón por su incredulidad:

—¡Señor mío y Dios mío!

Un solemne acto de fe sin igual. No se puede decir más en menos palabras.

Sigue el amoroso regaño de Jesús con una afirmación que nos alcanza en el halago, a través del tiempo, a todos los creyentes:

—Tomás, tú crees porque has visto. Bienaventurados los que crean sin haber visto.

Que es lo mismo que decir: bienaventurados los que crean aunque no entiendan.

Y es lo que nos queda ante el misterio: aceptar la revelación del Hijo. El enviado del Padre nos habla cantidad de veces del Padre y de Él, y de Él y del Padre que envió a su Hijo al mundo "no para condenarlo sino para salvarlo"; y promete y manda el Espíritu Santo y nos revela un poco el misterio para que, sin cerrar los ojos, lo hagamos todo en nuestra vida "en el nombre del Padre, creador, del Hijo, redentor, y del Espíritu Santo, santificador".

A Vos, Padre Ingénito; a Vos, Hijo Unigénito; a Vos, Espíritu de Santidad; un solo Dios en trinidad, de todo corazón os confesamos, bendecimos y alabamos. A vos por siempre se te dé reverencia y gloria. Amén.

Bendigamos al Padre y al Hijo y al Espíritu Santo. Alabémoslo y ensalcémoslo por todos los siglos de los siglos. Amén.

—*Guía del Cristiano*, p. 311.

Capítulo XXVI
† Fiesta del Corpus Christi †

Lauda Sion Salvatorem
lauda ducem et pastorem
in hymnis et canticis.

Alaba, Sión, al Salvador
alaba al Guía y Pastor
con himnos y cánticos.
—*de la "Secuencia" compuesta por Santo Tomás de Aquino*

Estamos en el año 1238 en la pequeña ciudad llamada Daroca, de la provincia de Zaragoza en España, que está inundada de moros musulmanes. El rey de Aragón, don Jaime I llamado el Conquistador, luchó bravamente para ganar la ciudad de Valencia. Animada la tropa por la sonada victoria, pretenden ganar también la fortaleza sarracena del Castillo de Chio, pero los moros se defienden poniendo en apuros a los cristianos. Entonces su general los arenga invitándolos a pelear hasta morir después de comulgar. Se reviste aprisa el sacerdote Mateo Martínez y comienza la Santa Misa.

Después de la consagración atacan los sarracenos. El capellán consume la hostia grande, envuelve en los corporales las otras pequeñas y corre a esconderlas en una cueva. La lucha resulta terrible durante tres horas, hasta que los moros huyen despavoridos. El capellán, también gozoso por el triunfo, va a recoger las Sagradas Formas y, al desplegar los corporales, para dar la comunión a la tropa con su general y cinco capitanes, se dan cuenta todos de que las hostias se habían convertido en sangre.

Estaban todavía extasiados ante el maravilloso hecho cuando los sarracenos quieren desquitarse de su derrota y atacan rabiosos de nuevo. El sacerdote tiene la inspiración de enarbolar en un palo aquel bendito corporal y lo coloca en lo más alto de la fortaleza. Con esto anima a los soldados cristianos y asusta a los moros, pues los pocos que logran librarse de la muerte, huyen definitivamente.

Todos querían aquellos corporales: el general Berenger los quería para Valencia como ciudad más importante; el capitán de Teruel los reclamaba por haber salido el más perjudicado por el enemigo; el capitán de Calatayud, por haber contribuido más que nadie a la guerra; el capitán de Daroca, porque el sacerdote que había enarbolado el estandarte era nacido allí. Decidieron echar suertes y por tres veces, ¡tres!, fue favorecida Daroca.

Pero, no satisfechos todavía, decidieron colocar los prodigiosos corporales en una arquilla bien decorada y cargarla sobre una mula del enemigo y dejarla librada a su propio instinto hasta que parase. Emprendió el andar el animal, seguido por el capellán Mateo Martínez y una parte del ejército. Anda que te anda, sin comer ni beber, la mula entró en territorio de Aragón y, después de kilómetros y kilómetros, llegó el día 7 de marzo de 1239 a Daroca, frente a la iglesia de San Marcos. Allí, de repente, la mula cayó exánime y la gente, entre vivas y regocijo, trasladó los corporales a la iglesia de Santa María.

La ciudad decidió que el 7 de marzo de cada año se hiciera una solemne procesión. Y era tan concurrida que se construyó fuera de la ciudad una torrecilla desde donde se mostraban los milagrosos corporales a la gran multitud.

Pasados veinticuatro años, se enviaron embajadores al Papa Urbano IV para pedirle gracias e indulgencias. Y estando los delegados en Roma, ocurrió otro maravilloso milagro en Bólsena, confirmado por setenta y ocho historiadores italianos y extranjeros. Ocurrió así.

En el año 1263, mientras el Papa Urbano IV junto con su corte se refugió en Orvieto para librarse de las vejaciones del intruso rey de Sicilia, cierto sacerdote alemán que se dirigía a Roma para visitar la tumba de Pedro y pedir ser librado de tantas dudas como tenía sobre la presencia real de Jesús en la Eucaristía, paró en Bólsena, diócesis de Orvieto. Antes de proseguir su viaje, entró a la iglesia de Santa Cristina para celebrar la Santa Misa.

Llegado el momento de partir la hostia consagrada sobre el cáliz, esta se convirtió toda en carne y sangre, menos la parte que el sacerdote sostenía entre los dedos. La sangre goteaba sobre los corporales. Más que sorprendido, asustado, el sacerdote dobló los corporales y las manchas se multiplicaron hasta veinticinco. Sin saber qué hacer, tomó el corporal manchado y se fue a la sacristía. Por el camino cayeron unas gotas de sangre en el piso de mármol.

En el altar mismo donde acaeció el prodigio se venera una losa; y otra en el altar mayor de la nueva iglesia llamada precisamente del Milagro.

Entonces el sacerdote decidió ir a Orvieto y se echó a los pies del Papa Urbano IV, pidiéndole su perdón y relatándole todo el milagro. El Papa ordenó al obispo de Orvieto que fuera a Bólsena y trajera la sagrada reliquia. El obispo fue a Bólsena, tomó de la sacristía de Santa Cristina aquel corporal con la hostia-carne y manchado de sangre, y se dirigió a Orvieto.

Le salió al encuentro el Papa Urbano IV con sus cardenales, eclesiásticos, autoridades civiles y militares y una gran multitud de fieles. El Papa recibió el preciado corporal manchado con la hostia convertida en carne y, entre cánticos, lo llevó para depositarlo en el sagrario de la catedral. Era la segunda procesión del Corpus Christi, en 1263.

Todo ello acabó por determinar a Urbano IV a instituir en la Iglesia Universal la festividad del Corpus. Por otra parte, la monja cisterciense de Lieja, la Beata Juliana de Mont-Cornillon, le suplicaba insistentemente para que se instituyera la fiesta. Al año siguiente, el Papa publicó en Orvieto la bula titulada *Transiturus*, en la que fijó la solemnidad para el jueves después de la octava de Pentecostés. En el Concilio de Vienne de 1311, el Papa Clemente V la confirmó. El padre dominico Tomás de Aquino compuso en latín los poemas para la liturgia de la nueva fiesta. En Orvieto se construyó entonces una de las catedrales más hermosas por su incomparable fachada. Allí se guarda, en un tabernáculo, la preciosa reliquia.

Al extenderse la celebración a toda la Iglesia, surgirían espontáneas y fervorosas las cofradías del Santísimo Sacramento. Grupos de fieles que cuidarían cada año de todos los detalles de la celebración: misa solemnísima con el mejor de los predicadores y procesión fastuosa por las principales calles del lugar, con alfombra de flores a lo largo de todo el recorrido, balcones engalanados en honor del Santísimo Sacramento y espléndida cena para todos los cofrades. Y por todo ello y más, nuestros antepasados en la fe nos dejarían el dicho de que "tres jueves hay en el año que relucen más que el sol: Jueves Santo, Corpus Christi y el día de la Ascensión".

Y todavía hoy, en algunos lugares, la procesión del Corpus es el atractivo mayor para muchos turistas y una de las fiestas más solemnes del lugar. En otros lugares la vida exige trabajar duro toda la semana para salir adelante y la Iglesia ha decidido trasladar la obligación del jueves al domingo. De todas maneras, eso no le quita ni un ápice a la importancia de siempre y a la mayor devoción con que hoy honramos, bendecimos y alabamos esa presencia sacramental del Señor Jesús entre nosotros, de esa manera tan especial y maravillosa en la Eucaristía celebrada y guardada.

Permítanme añadir solamente que, en 1592, el Papa Clemente VII instauró la Adoración Perpetua. Y en 1815 fue elegida canónicamente la Adoración Nocturna y declarados patrones la Virgen María —custodia viva de carne— y San Pascual Bailón, dándole categoría de archicofradía el Papa León XII el 27 de abril de 1824. En 1848 un judío, gran pianista de la categoría de Chopin, famoso en toda Europa, Herman Cohen, inaugura en París la Adoración Nocturna. En 1877 el abogado don Antonio Trelles la inaugura en Madrid, España. En el año 1900, de España pasa a México Distrito Federal. En 1929 se instituyó en la Placita de Los Ángeles el primer grupo de adoradores nocturnos: gente sacrificada y devota que un día al mes se pasa la noche en vela ante la Eucaristía, solemnemente expuesta en la custodia.

En 1962 se creó la Federación Mundial de la Adoración Nocturna en Roma. El 15 de agosto de 1982 se creó aquí, en California, el Consejo Superior Arquidiocesano dirigido por el padre Claretiano Tobías Romero, de santa memoria, y por el que fue su primer presidente el señor Juan García, de la Sección de María Auxiliadora. En aquel entonces eran unas veinticinco las parroquias que tenían Adoración Nocturna. En 1990 me sentí un servidor muy honrado al asumir el cargo del Padre Tobías. Hoy casi alcanzamos las setenta secciones en toda la arquidiócesis; una de las últimas ha sido recién inaugurada en Las Vegas, Nevada. Esperamos en Dios seguir inaugurando otras este año de la Eucaristía.

Bendito y alabado sea nuestro Señor Jesús Sacramento. Por siempre sea bendito y alabado.

Después de todo… ¿tú no te animas a ser adorador nocturno?

Capítulo XXVII

El primer sermón de Pedro

Entonces Pedro, presentándose con los once, levantó la voz
y dijo a la gente allí reunida:
—Judíos y habitantes de Jerusalén, poned atención a mis pala-
bras y que os quede bien claro lo que os voy a decir:
No estamos borrachos como vosotros pensáis
ya que apenas son las nueve de la mañana,
sino que sucede lo anunciado por el profeta Joel...
—Hechos 2, 14-16

Hemos de agradecerle a Lucas que, además del *Evangelio*, se decidiera a escribir el relato con veintiocho capítulos de *Los hechos de los Apóstoles*. Él era pagano y vivía fuera de Palestina, en Antioquía. Ya convertido, acompaña al otro gran convertido Saulo —Pablo— a partir del año 50. Por todo ello, su libro presenta dos partes. En la primera, del Capítulo 1 al 15, pone toda la información que pudo recabar de los veinte primeros años de la Iglesia. En la segunda, del Capítulo 16 al 28, escribe lo que vio acompañando a su maestro Pablo. Parece ser que acabó de escribir el libro en el año 62.

El autor da la impresión de que siente la necesidad de

continuar su Evangelio y dedica lo que va escribir ahora a Teófilo. No se ha podido saber exactamente quién fuera el tal Teófilo, pero es muy probable que fuera un ricachón convertido que bien podía cuidar y pagar el trabajo de hacer copias manuscritas del *Evangelio* y de los *Hechos*.

El caso y lo cierto es que desde los primeros renglones el autor despierta en el lector el interés por saber qué sucedió. Y arranca con lo que hacen los seguidores de Jesús después de que ascendió a los cielos. *"Entonces volvieron a Jerusalén desde el monte de los Olivos, que está a un cuarto de hora de la ciudad. Y cuando llegaron subieron a la habitación superior donde vivían: Pedro, Juan, Santiago y Andrés; Felipe y Tomás, Bartolomé y Mateo; Santiago de Alfeo; Simón el que fue zelote y Judas, hermano de Santiago. Todos ellos perseveraban en la oración y con un mismo espíritu, en compañía de algunas mujeres, de María, la madre de Jesús y de sus hermanos"*.

No merece discusión la palabra "hermanos" porque es bien sabido que el hebreo no tiene el término "primo". En cambio sí hay que poner atención en las personas nombradas y en el lugar de su reunión. La lista de nombres es de los once apóstoles y, entre las mujeres, precisa a María. Del lugar dice que era una habitación superior. Forzosamente hay que imaginarla con capacidad para más de una docena de personas. Dice Lucas que un día "eran alrededor de ciento veinte". Por lo tanto sería bastante amplia y tal vez fuera la misma donde Jesús celebró su última cena.

Se comprende que entre salmos y comentarios se les ocurriera la idea de completar la docena que habían sido los llamados por Jesús y tomaran la decisión de escoger al sustituto de Judas Iscariote. Es importante caer en la cuenta de que, quien lleva la voz cantante, como suele decirse, es Pedro. Los demás le reconocen su primacía y su autoridad. Es la primera demostración de la superioridad concedida.

Presentaron a dos: José, llamado Barsaba, por sobre-
nombre Justo, y a Matías (...). Echaron suertes y la suer-
te cayó sobre Matías, el cual fue agregado a los apóstoles
(*Hechos* 1, 23 y 26).

Es una lástima que no nos diga qué clase de suertes echaron... Y aquí uno es muy libre de imaginar que les pidieron a los
dos tirar los dados y el que sumó más puntos ganó. O tal vez el
mismo Pedro con sus manos atrás, en la espalda, puso parejitos los
dos bastoncitos de diferente tamaño y el que sacó el más corto perdió y el otro ganó. O quién sabe si pusieron una aceituna negra y
otra verde en una bolsa y el que sacaba la negra era el perdedor.

Pedro pediría un aplauso para el ganador y Matías recibiría el
abrazo de todos y todas, incluida María.

"Cuando llegó el día de Pentecostés estaban todos reunidos en
un mismo lugar. De pronto vino del cielo un ruido como el de una
violenta ráfaga de viento, que llenó toda la casa donde estaban".

A más de uno le brotarían las preguntas: ¿Qué pasa aquí?
¿Qué es eso? ¿Por qué esa ventolera? Los más de ellos estaban
acostumbrados a sentir el viento como enojado en las malas
noches de pesca en el lago de Tiberíades. Pero ahora ahí, entre
paredes, que el viento ruja es más que extraño.

Se les aparecieron unas lenguas como de fuego, las que
separándose se fueron posando sobre cada uno de ellos; y
quedaron llenos del Espíritu Santo y se pusieron a hablar
idiomas distintos, en los cuales el Espíritu les concedía
expresarse" (*Hechos* 2, 3 y 4).

Todos los que, a la distancia del tiempo, han querido re-
presentar el más que extraño fenómeno, han pintado como unos
pequeños meteoritos sobre las cabezas de los allí reunidos. Pero
lógicamente "las lenguas como de fuego" no eran de fuego real,

llamas vivas de algo que está ardiendo y que a la vez pueden quemar lo que toquen. Ninguno de los reunidos, mujeres incluidas, se puso a temblar. Al contrario: hubo una reacción general como si cada uno hubiera sentido prenderse en su interior, en su mente, en su alma, una especie de energía maravillosa y desconocida que les ponía en los labios palabras de lenguajes desconocidos: "se pusieron a hablar idiomas distintos".

Creo que a cualquiera se le ocurre pensar en la remota confusión de la Torre de Babel que podemos leer en el Capítulo 11 del *Génesis*:

> *Veo que todos forman un mismo pueblo y hablan una misma lengua, siendo esto el principio de su obra. Ahora nada les impedirá que consigan todo lo que se propongan. Pues bien, bajemos y una vez allí confundamos su lenguaje de modo que no se entiendan los unos a los otros"* (*Génesis* 11, 6 y 7).

¡Y vaya algarabía se debió armar en aquella llanura de la región de Seemar! Y allí y así se acabó la construcción de la torre "que llegara hasta el cielo".

Pero ahora el suceso es al revés. Porque se trata de derrumbar todos los prejuicios. La algarabía es porque todos los forasteros que no hablaban el hebreo o arameo los oían hablar en su propio idioma. Y allí hay partos, medos, elamitas, cretenses, romanos, egipcios, libaneses… Es fácil de imaginar la sorpresa de los oyentes. Muchos de ellos sabían que los de aquel grupo eran todos del norte, eran todos galileos, ni sabios ni letrados, simples e ignorantes pescadores. Se comprende que *"todos estaban llenos de admiración y se decían unos a otros: '¿Qué significa esto?'"* (*Hechos* 2, 12).

Y también es muy comprensible que otros se rieran y a uno se le ocurriera la fácil explicación de "¡están borrachos!". Entre risotadas la ocurrencia se repetiría en muchas bocas; y si como reproche ni siquiera gustaría que se lo echaran en cara a un borracho, todavía disgusta más que se lo escupieran al que estaba sobrio.

Por eso… *"Entonces Pedro, presentándose con los once, levantó la voz y dijo a la gente allí reunida: 'Judíos y habitantes de Jerusalén, pongan atención a mis palabras y que les quede bien claro lo que les voy a decir: no estamos borrachos como ustedes piensan, ya que apenas son las nueve de la mañana, sino que sucede lo anunciado por el profeta Joel'"*. Y se descuelga Pedro con su primer sermón hablando en nombre de todos.

Para empezar aclara, muy decidido, que de borrachos ni hablar porque él, y todo el mundo, sabe muy bien que los tragos en demasía de vino y derivados alcohólicos se suelen tomar al final de la jornada para que así resulte más fácil dejarse caer en la cama a dormir la pea.

Leer ese primer sermón de Pedro es quedarse con la boca abierta de admiración. A él le había encargado Jesús cuidar de su rebaño y comienza a cumplir su tarea. Habla por todos los otros once escogidos, Matías incluido. Y si unos días antes no sabía ni qué pensar y menos qué decir, aunque hubiera visto con sus propios ojos el sepulcro vacío, ahora sí sabe de qué hablar y razona rebién. Se da vuelo repitiendo de memoria cinco versículos de la profecía de Joel y, más adelante, cuatro versos del Salmo 16 de David.

Más que probable debió ser que todos los oyentes se sintieran como subyugados por una retórica tan simple y a la vez tan convincente, que borró automáticamente las ganas de reír a los más chistosos y obligaba a todos a pensar en serio.

Para acabar, Pedro suelta la última pedrada directa al corazón: *"Sepa entonces con seguridad toda la gente de Israel que Dios ha hecho Señor y Cristo a este Jesús a quien vosotros crucificasteis"*.

La acusación no puede ser más directa. Todo el mundo sabía que la condenación a muerte de Jesús la había firmado Pilatos. Todo el mundo sabía que no quiso cambiar la causa de la

Ramón Martí, Escolapio (Ram-Mar)

sentencia: Jesús nazareno rey de los judíos. Cuando se lo pidieron, respondió: "Lo escrito, ¡escrito está!".

Todo el mundo sabía que fueron todos ellos, toda la gente, todo el pueblo quienes gritaron y gritaron: "¡Crucifícalo, crucifícalo!". Y el echarles ahora en cara Pedro aquella más que vergonzosa condenación del Justo de los justos, produjo su efecto catártico. La mayoría preguntó:

—¿Qué debemos hacer?

Pedro les contestó: —Convertíos y sea cada uno de vosotros bautizado en el nombre de Jesús para que sus pecados les sean perdonados (Hechos 2, 38).

Los que creyeron fueron bautizados y en aquel día se les unieron alrededor de tres mil personas (Hechos 2, 4).

¿Tres mil personas dijo? Pues, ¡caramba! Estuvo buena la cosecha, señor don Pedro. Para empezar como predicador, es como la primera voladura de la barda con un aplauso en el cielo que duraría Dios sabe cuánto. ¡Tres mil bautizados el primer día de su trabajo apostólico! ¿Qué harían después del sermón? ¿Se los llevarían a todos al río Jordán? ¿Se irían a la piscina de Siloé, cerca del templo? ¿O tal vez ya se les habría ocurrido a los apóstoles la aspersión sobre la multitud?

De alguna manera, aquellas tres mil personas "fueron bautizadas" y se unieron al primer escaso número de los creyentes en el Señor Jesús resucitado. El Espíritu Santo había soplado fuerte y los apóstoles, comenzando por Pedro y acabando por Matías, habían sido transformados: eran hombres nuevos. Ya no permanecieron encerrados por miedo; sabían hablar y hablaron, y seguirían hablando muy bien de su Maestro glorificado. El primer sermón de Pedro merecería, en el cielo, la máxima calificación.

168

Capítulo XXVIII
Los primeros comunistas

Todos los creyentes vivían unidos y compartían
todo cuanto tenían. Vendían sus bienes y propiedades
y se repartían de acuerdo a lo que cada uno de ellos necesitaba.
—*Hechos 2, 44 y 45*

Esta precisión de Lucas sobre el modo de vivir de los primeros creyentes en Jesús obliga a una larga consideración. Unos miles de convertidos deciden vivir un estilo de vida en común que solo puede ser atractivo por la euforia de la conversión. Por naturaleza los humanos somos más egoístas que generosos. Estamos hechos a un entorno natural que es la familia. Cualquier otra relación extrafamiliar siempre es algo artificial y no puede tener la misma fuerza de unión que la que da la carne y sangre.

Por eso, por una parte, asombra que la conversión a la fe en el Señor Jesús les provocara el estar unidos. Pero bien considerada, la situación pone en evidencia que esa misma fe puede unir mucho más que la carne y la sangre. Y por otra parte, asombra todavía mucho más que compartiesen todo cuanto cada cual tenía.

Habrían de pasar casi dos mil años para que la filosofía

marxista se impusiera como régimen político en alguna parte del mundo. Y así y todo, sería con la gran diferencia de que el comunismo no tendría más dios que el estado o el poder.

Aquellos primeros creyentes en Jesús fueron los primeros comunistas, como consecuencia de su fe. Y siendo así, no se puede menos que admirarlos al contemplarlos con la imaginación.

"Nadie consideraba como suyo...", escribe Lucas en el Capítulo 4, versículo 32, "*... lo que poseía, sino que todo lo tenían en común*".

En el tiempo de Jesús fueron célebres los llamados "esenios", palabra derivada, parece ser, de la forma "hasaya", referida a la santidad. Era una especie de secta judía que se calcula llegó a tener unos cuatro mil miembros. Vestían de blanco y vivían en común. En las murallas de Jerusalén había una puerta a la cual llamaban "de los esenios".

Es más que probable que todos, predicadores y convertidos, supieran de tales gentes que vivían en común. Inclusive se ha imaginado y supuesto que el mismo Jesús haya convivido algún tiempo con los esenios. Se presume que la mayoría de ellos permanecían célibes, nadie tenía propiedad privada sobre nada y todos obedecían a sus superiores.

Vendrían posteriormente, y en todo tiempo, almas muy nobles que imitarían ese desprendimiento de todo bien terrenal y organizarían con sus seguidores una firme vida en común con promesas solemnes de pobreza, de obediencia y de castidad. Sería el camino de la dura ascesis que dejaría atrás la vida en solitario para formar un grupo y crear el cenobio o monasterio. En el año 480 nacería en Italia el que sería San Benito, a quien Dios le inspiraría la que sería llamada "Regla de oro" o ley de la vida en común: ocho horas para descansar, ocho horas para trabajar y ocho horas para rezar. Necesariamente para ello se construirían edificios adecuados para docenas y centenas de personas que optaban por una vida religiosa en común, algunas de las cuales hoy son exponentes impresionantes de hermosa arquitectura.

Los primeros convertidos en Jerusalén solo tenían un lugar con capacidad para cientos y miles de personas: el magnífico Templo de Salomón. Y aunque no pernoctaran allí, dice Lucas que allí se reunían de común acuerdo (*Hechos* 5, 12). Quienes hablarían, y apasionadamente, serían los apóstoles, comenzando por Pedro, claro. Pero creo que es fácil imaginar que el testimonio de Tomás dejaría muchas bocas abiertas de asombro. Y el relato de los dos que fueron a Emaús emocionaría a toda la audiencia.

No había entre ellos ningún necesitado porque todos los que tenían campos o casa los vendían y entregaban el dinero a los apóstoles, quienes repartían a cada uno según sus necesidades (*Hechos* 4, 34 y 35).

Pero he aquí que muy pronto se complicó la situación, porque no podía resultar nada fácil que, todos y para todo, dependieran de quien cuidaba de facilitar lo necesario. Es posible que fuera Mateo el que repartía los denarios para una nueva túnica o para otras sandalias o para pagar el tributo obligado. El caso es que:

... un hombre llamado Ananías, de acuerdo con su esposa Safira, vendió una propiedad y se quedó con una parte del precio, sabiéndolo también su esposa; el resto lo entregó a los apóstoles (*Hechos* 5, 1).

Y aquello fue el principio del fin. Ni Ananías ni Safira pensarían por un momento que estaban cometiendo un robo, porque la propiedad vendida y el dinero conseguido eran verdaderamente suyos y de nadie más. Y era una previsión muy razonable quedarse con algunos denarios para sus gastos particulares y no tener que estar dependiendo para todo de Mateo o de cualquier otro apóstol. No se nos dice cómo se entera Pedro del detalle de la operación. Si se lo sopla el Espíritu Santo resulta más espectacular el drama que acaba en tragedia. El caso es que:

> *Pedro le dijo: —Ananías, ¿por qué has dejado que Satanás se apoderara de tu corazón? ¿Por qué intentas engañar al Espíritu Santo guardándote una parte del precio de tu campo? ¿Acaso no eras libre de venderlo o no? Y si lo vendías, ¿no podías quedarte con todo el precio? ¿Cómo se te ha ocurrido hacer esto? No has engañado a los hombres sino a Dios (Hechos 5, 3 y 4).*

El regaño es muy duro, ciertamente. Pedro habló muy razonablemente. Pero termina su reprimenda con una sentencia que resulta como un tiro de gracia. "No has engañado a los hombres sino a Dios". Ananías siente que se ahoga y su cuerpo se derrumba ante Pedro y quienes los están viendo hablar. Se le ha paralizado el corazón y muere instantáneamente, para sorpresa de todos. Los más jóvenes, dice Lucas, se levantaron —lo cual presupone que estaban sentados y viendo la escena— y lo llevaron a enterrar. Y luego sucedió lo peor.

> *Unas tres horas más tarde entró su esposa que no sabía lo que había pasado.*
>
> *Pedro le preguntó: —¿Es cierto que vendieron en tanto el campo?*
>
> *Ella respondió: —Sí, en eso.*
>
> *Y Pedro le dijo: —¿Por qué se han puesto de acuerdo para poner a prueba al Espíritu del Señor? Mira, aquí vienen los que enterraron a tu marido. Ellos te llevarán también a ti (Hechos 5, 7-9).*

Y la mujer cayó fulminada a sus pies. Sobre la dura recriminación de que han atentado contra el mismísimo Espíritu Santo, recibió el disparo de la muerte y entierro de su marido. Su corazón no lo soportó y se le paró. Hasta allí llegó su vida y de nada en absoluto le sirvieron los denarios que se guardaron. Se comprende fácilmente que "un gran temor se apoderara de toda la Iglesia y de todos cuantos oyeron estas cosas". No era para menos.

Así y todo, de muy poco serviría para mantener el régimen de vida de todo en común, de todo para todos y todos para todo por igual. Habría más esfuerzos menos trágicos, pero definitivamente también inútiles para mantener aquel modo de vivir. Los apóstoles dejarían la capital de su país para predicar a otras gentes en otros lugares. Ya no tendrían más preocupación que esparcir y sembrar por doquier el mensaje de salvación del Señor Jesús.

Siglos y siglos dando vueltas el planeta Tierra, llegaría el momento en que alguien, a como diere lugar, impondría —y si era necesario, a sangre y fuego— el mismo régimen político y económico de todo en común. Y el mismo planeta entero se estremecería por todos los que morirían para que fuera efectiva tal imposición. Pero todo el mundo se asombró y alegró cuando el gigante, que se llama comunismo, se derrumbaba más espectacularmente que el muro de Berlín.

El Evangelio se comenzó a predicar en un Imperio Romano que fundamentaba su grandeza y poder en la riqueza, producto del trabajo. Y seguirá predicándose la Palabra de Cristo hasta el fin del mundo en todos los países, sea cual fuere su estructura política y su sistema económico, para hacer resonar la voz del que dijo: "Yo soy el Camino, la Verdad y la Vida".

Capítulo XXIX

Tercer domingo de junio, Día del padre

Es conocida y muy típica la bravata del hombre, cabeza de familia, que muy a lo macho gallea ante sus amigos de que en su casa él es quien dice siempre la última palabra.

—¿Ah, sí? —exclama uno—. ¿Tú siempre dices la última palabra? ¿Y cuál es?

—¡Sí, mi amor! ¡Lo que tú digas, mi vida!

Chistes aparte, el hombre se hace padre cuando engendra hijos. También cuando, si no los puede engendrar, los adopta y los cría como si fueran suyos. Este es el caso de José, esposo oficial y con todas las de la ley de María, hija de Joaquín y Ana, y bendita entre todas las mujeres por haber sido escogida para ser la madre de Jesús.

A José le cuesta lo suyo de entrar en el misterio de la encarnación del Hijo de Dios. Pero cuando se sumerge en él, las apetencias humanas más entrañables se le hacen pequeñísimas ante la grandeza del más que honroso trabajo de hacer de padre de Jesús, el Emanuel, el Dios con nosotros. Será todo caldo de cerebro en tinieblas pensar que José haya engendrado otros hijos con María y, consecuentemente, que Jesús haya tenido hermanos o hermanas.

Y es que hay una paternidad carnal con todo el atractivo incomparable de la entrega mutua del hombre y la mujer; pero también hay una paternidad espiritual que tiene el atractivo mayor todavía de un amor sublimado en la renuncia a la relación carnal. Ahí precisamente entramos todos los hombres que aceptamos el celibato como condición para el sacerdocio, que en muchas partes del mundo somos llamados igualmente padres.

La paternidad es la colaboración más directa con el Creador en el cumplimiento de su orden primera: creced y multiplicaos. Sigue incansable el enemigo tentando por el gran gusto de la sabrosa manzana, que cambió el nombre por sexo. Y hay que ver cómo se han multiplicado los Caínes y los Herodes que matan a mansalva al hermano y al recién nacido y al acabado de concebir. Y cómo abundan —hoy tal vez más que nunca— los sodomitas y gomorreos, que es decir homosexuales y lesbianas, y nada más y nada menos que con pretensiones legales de matrimonio y paternidad. ¡Hasta aquí podíamos llegar y hemos llegado!

La paternidad está más en el dar que en el recibir. Se dice muy acertadamente, de los padres, que enseñan mucho más con lo que hacen que con lo que dicen. Abunda el padre que quiere enderezar a sus hijos a puro grito y trancazo. ¡Aquí se hace lo que yo digo! ¡Aquí quien manda soy yo! Muchos, por no decir todos, los padres se matan trabajando por los hijos y la familia para que no les falte nada. Pero no les dedican tiempo ni atención, y cada día van gruñendo más los ejes de la carreta familiar.

Para acabar, de mi libro de poemas *Mi Amor es para ti*, el romance titulado "Mis hijos me llaman padre".

Mis hijos me llaman padre
y lo soy porque los tengo.
Fruto son de mis amores
que un día bendijo el cielo.
Y aunque no fueran benditos,
siempre es orgullo tenerlos.

Son la sangre de mi sangre,
son semilla de mi cuerpo.
Son del alma particiones;
de mi ser, brotes o injertos.

Son mi yo reproducido,
la fuerza de hondo deseo.
Mi vida multiplicada
con satisfacción de sexo.

Sin los hijos no soy padre.
Y si lo soy, es por ellos.
Por los hijos, pues, trabajo,
por los hijos vivo y muero.

Cuando llegue yo a la muerte
de este modo seré eterno:
seguiré estando en el mundo
en los hijos que aquí dejo.

Y aunque ellos me olvidaran
yo más los querré en el cielo,
que Dios justo, ¡por ser Padre!
me ha de dar. ¡Así lo espero!

Capítulo XXX

Segundo domingo de mayo, Día de la madre

Todo empezó en los eternos designios de Dios. Creó el mundo y vio que todo era hermoso. Hizo aparecer al hombre y pensó que no era bueno que estuviera solo. Entonces le dio a la mujer para compartir, completar y transmitir la vida.

—Creced y multiplicaos.

Y en el ser, en la carne y en el espíritu de cada uno, dejó puesto, con el sexo y un instinto, la semilla de lo más maravilloso de la Creación: el amor que florece en cada hijo.

Así es como la mujer viene al mundo,
dispuesta para su función materna.
Y en su condición femenina
lleva en germen su instinto maternal.

En su fragilidad de niña
nacen mimos y caricias como juego preferido.
De un secreto manantial de ternura

comienzan a brotar manifiestas ilusiones
en la atención a sus muñecas.

No es un juego nada más.
Es la MADRE en miniatura.
Es la MADRE en potencia.
Es la MADRE en flor.

Todo un mundo complejo
de gracias que la naturaleza le da,
con especial fisiología,
y psicología más especial.

La niña que jugaba a las muñecas
y sintió despertar la vida en su cuerpo de mujer,
en ese momento decisivo de su existencia
viste sus galas de novia.

Las flores en sus manos
son un símbolo de su futura maternidad.
Ser MADRE es un misterio de gozo.
Ser MADRE es un misterio de dolor.
Ser MADRE es un misterio de gloria
porque es un misterio de vida.
Ser MADRE es el amor
que se hace nuevo ser.
Sangre que se multiplica en la entraña de la mujer.

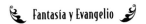

Proceso de largos días con nuevos latidos de un nuevo corazón.

Lento quehacer misterioso de una semilla que crece

a la sombra del alma con el sol de la ilusión.

Espera amorosa de una ingrávida gravidez.

Silenciosa gestación en el claustro sagrado del útero

como cuna primera que Dios preparó.

Ser MADRE es ser fuerte en la debilidad y débil en la fortaleza.

Ser MADRE es ser sencilla en la grandeza

y ser grande en la sencillez.

Ser MADRE es maravillosamente extraordinario

y extraordinariamente maravilloso.

Ser MADRE es lo humanamente más divino

y lo divinamente más humano.

Cuando sepáis que una mujer va a ser MADRE,

pensad que habéis recibido carta del cielo en la que se dice

que Dios sigue queriendo todavía a la humanidad.

MADRE es la primera palabra que todo hijo pronuncia.

De la propia entraña la MADRE le dio el ser.

Y del pecho, el primer alimento. Y del regazo, el calor vital.

Y de las manos, las caricias. Y del alma, los besos.

En constante atención, cuidado y desvelo,

la MADRE enseña el andar, el decir y el hacer.

El hijo nace pero la persona se hace.

Y se hace con preocupaciones de MADRE,
con afanes de MADRE, con dedicación de MADRE

MADRE es la que se olvida de sí misma
para darse toda a sus hijos;
la que es capaz de morir de hambre
para que al hijo no le falte de comer;
la que es capaz de convertirse en fiera
para guardar de un peligro al fruto de su vientre;
la que es capaz de tener la más alta sabiduría en su ignorancia
para enseñar al hijo de su vientre.

Yo no sabría decir cuál es más importante gestación:
la de los meses en el seno o la de los años en la educación.
Ni cuándo la mujer es más MADRE: cuando ella se sabe encinta
o cuando se dedica a educar.

MADRES las hay en todos los continentes y en todas las razas
y en todos los pueblos y en todas las categorías.
MADRES las hay en todos los tiempos y en la misma eternidad.
En toda la Tierra y hasta en el cielo.
No importa la geografía, ni el color, ni la clase social.

Nada como la MADRE es tan universal.
En las tinieblas de la prehistoria se hizo luz.
En el pasado los hombres la hicieron diosa.
El mundo está lleno de imágenes y altares en su honor.

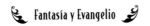
Ella es la reina del hogar.
Y no se concibe una MADRE como sierva en esclavitud.
MADRE blanca o MADRE negra,
MADRE europea o MADRE hispanoamericana,
MADRE de ayer o MADRE de hoy,
MADRE del pasado o MADRE del futuro.

Siempre, y en todas partes,
la MADRE es lo más digno de veneración.
De sus entrañas han salido ríos de sangre
que han inundado el mundo de vida.
De sus pechos han brotado fuentes de fuerza
que han cambiado la Tierra.

De lágrimas y gozos de MADRE
ha sumado millones la humanidad.
Y hasta Dios —si por otra cosa no—
sería bendito de los hombres
porque también tuvo MADRE y al cielo se la llevó.
En todas las lenguas del mundo y en todas partes de la Tierra,
bendita seas, mujer, por tu maternidad.
Y no es tu cuerpo fecundado, no son tus formas femeninas,
no es tu carne desgarrada lo que queremos venerar.

Es tu yo multiplicado, es tu persona reproducida,
es tu alma incondicional que se da.

Ese aliento de vida que Dios por ti trasmite
y que te hace morir un poco en cada hijo que te da.

Ese amor preocupado y esa preocupación amorosa.
Ese luchar, trabajar y afanarte seguido
para que al hijo no le falte algo, aunque no tengas nada tú.
Esa riqueza de ánimo en tu mayor pobreza.
Ese desprendimiento total aunque lo tengas todo.

Esa paciencia que te hace incansable.
Esa preocupación que hace crecerte.
Esa maternidad que no conoce la fatiga y te hace dar la vida
si fuere necesario, gota a gota, con el sudor de tu frente,
y cargar al hijo y soportar el sol y la jornada de todas las horas.

¡Qué grande eres, MADRE, cuando por tus hijos trabajas!
Pero los hijos crecen mientras tú envejeces, MADRE.
Es ley de vida que, cuando aprendieron a andar,
no estén pendientes de tu mano.
Y ellos siguen adelante mientras tú te vas quedando atrás.
Has dejado en el camino tu energía y tus pasos te han cansado.
Te diste tanto que ya casi ni aliento te queda.
Comenzaste a gustar la amargura
tal vez en las ausencias insensatas del padre de tus hijos.

Cuando estos salieron de tu seno, sentiste desgarrarse tu cuerpo.
Cuando salen de tu lado, has de sentir desgarrarse el alma.
Los hijos, MADRE, se van.
Y tú te quedas soportando callada y conforme la soledad,
como una maceta a la que el tiempo arrancó su ramo
y el destino dejó sin una flor.

Pero ni la nieve de tus canas enfría tu corazón.
Y sigues queriendo, muy conforme en el abandono.
Y la senectud, si la alcanzas, es como un otoño
desbordado de nuevas primaveras.

¿No visteis qué hermosas son las espigas que un grano dio?
Pero el ciclo de la vida para cerrarse exige que el grano muera.
El corazón, de tanto latir, se cansó.
Llega la hora del adiós sin retorno.

Es la ausencia definitiva, la irremediable,
la que nos estruja el alma
entre sollozos con un ansia callada
del reencuentro en la eternidad.

Más dolorosa, pero razonable,
que la ausencia loca por irracional
de un camino errado a la aventura.
¡Qué vacío dejas, MADRE,

cuando con tu último paso te vas
con la muerte hacia la vida sin fin!

Nada ni nadie puede suplir tu presencia.
Se agotan las lágrimas.
Pero cada día que pasa sin ti es un eslabón más
que encadena de recuerdos a los hijos en orfandad.

Y cuando faltas irremediablemente es cuando nos damos cuenta
de lo que eres y significas;
cuando apreciamos tu valor incomparable;
cuando descubrimos —a veces lamentablemente tarde—
que eres el mayor tesoro del mundo.

Y una montaña enorme de virtud.
Y una mina sin fin de bondad.
Y la persona más buena que Dios creó.
Por eso cuando te vas, MADRE, y tu muerte nos hace llorar,
nos penetra entre lágrimas la esperanza de tu felicidad
que, sin duda, en el cielo has de tener
en premio a tu maternidad.

¡Bendita seas, MADRE, ahora y siempre!
Hoy, cuando tus hijos te hacen honor,
recibe el homenaje de nuestro corazón.
Tú, como nadie, puedes entender e interpretar
el lenguaje del amor.

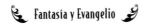

Y sabes que en una lágrima cabe un mundo de estrellas;

y en un beso, todo un cielo de cariño.

Por eso, sencillamente,

aunque nada yo te diera,

bastaría mi vivir.

Aunque nada te dijera,

bastaría mi sentir.

¡Valga, pues, que yo te quiera,

MADRE mía, hasta morir!

Fin

Últimas obras publicadas
por CBH Books

Hasta que amanezca A. K. P. C. Ordóñez
La muerte de la Locura J. Woolrich
Sueños C. Javier
Yo recibí el mensaje W. Lynch Fernández
El camino perdido A. Adriani
Reina de bastos V. Luma
El amor, un error de cálculo M. V. Albornoz
La muerte nuestra de cada vida Y. Canetti
El árbol que Dios plantó S. Villatoro
El pueblo de Juan L. Guzmán
Diseño de modas L. Lando
A Priest Behind Bars M. Blázquez Rodrigo
Qué bueno baila usted Faisel Iglesias
Una peña en la ribera Tomás Peña Rivera
La vida A. S. Villa
Tal vez un milagro C. Santiago
La ronda del capitán Frans sin el teniente Willen M. A. Amador
La otra cara del ajedrez D. Arjona (DEBICEI)
Cabeza de Ángel J. P. Vásquez
Matthew P. Harmsen
Tierra, figura solitaria M. E. Serafini
Teoría de la comunicación emocional en el hogar M. Chacón M.
La resurrección de una mujer E. Miramontes
El lenguaje bicameral de la palabra I. Segarra Báez
Sabor a miel M. Fraga
Inspiración (Volumen II) G. Toledo
El Justo Juez de la Noche F. Lucho Palacios
Los once fantásticos P. J. Rodríguez
Del mito a la literatura y la Biblia J. P. Magunagoicoechea
De dulce, de sal y de chile A. González

La editorial Cambridge BrickHouse, Inc.
ha creado el sello CBH Books
para apoyar la excelencia en la literatura.
Publicamos todos los géneros, en todos los idiomas
y en todas partes del mundo.
Publique su libro con CBH Books.
www.CBHBooks.com

De la presente edición:
Fantasía y Evangelio
por Ram-Mar
producida por la casa editorial CBH Books
(Massachusetts, Estados Unidos),
año 2010.
Cualquier comentario sobre esta obra
o solicitud de permisos, puede escribir a:
Departamento de español
Cambridge BrickHouse, Inc.
60 Island Street
Lawrence, MA 01840, U.S.A.